VOIR LE PORTUGAL

VOIR LE PORTUGAL

Texte de Bernard Hennequin
Photographies de Robert Thuillier

HACHETTE RÉALITÉS

1
Vers le Douro, par les routes fleuries

Ouverte la porte du Nord – de Compostelle, de la conquête – le Minho trottine pieds nus sur les routes joyeuses : « jardim do Portugal » débordant de bonne humeur. Entre les serras qui l'isolent de la Castille et la frange verticale de cent kilomètres du littoral atlantique, la campagne des collines humides accueillit dans la préhistoire de solides foyers de civilisation ; le conquérant romain démantela celui des *castros,* contraignant la population des pasteurs à travailler les champs. Aussi, lorsque au XIᵉ siècle le comte de Bourgogne, nouveau seigneur du domaine, décida de planter des vignes, ne soupçonna-t-il pas qu'en l'espace de quelques générations les paysans besogneux allaient leur faire conquérir les vallées, remonter loin celle du Douro, tapisser les coteaux autour des abbayes fondées au fur et à mesure de la progression du jeune royaume vers le sud. Mais ces courageux firent davantage qu'agrandir le jardin, ils s'offrirent spontanément pour appuyer l'avance de la Reconquête sur l'Islam, faisant de leur province le berceau de la nation.

A partir de l'époque des grandes découvertes maritimes, au début du XVIᵉ siècle, le maïs introduit dans le nord du pays chasse peu à peu la vigne basse. Transformant les conditions de vie, la culture nouvelle modifie aussi en profondeur le paysage. Apparaissent alors les vignes grimpantes, les *vinhas de enforcado* caractéristiques du décor actuel : elles encombrent les façades, escaladent les piliers de granit des maisons jusqu'au toit rouge, les meules de fourrage et tous les arbres, peupliers compris. Le long des pistes luisantes de pluie, fleuries d'hortensias, elles composent un accueillant rideau festonné. Le produit de ces treilles n'est pas, toutefois, celui qui donnera naissance au célèbre nectar ; cueilli prématuré-

ment, le raisin du Minho donne le *vinho verde* (le vin vert) pétillant, de faible teneur alcoolique, qui, bu toujours frais, a le mérite de « respecter l'intelligence ». Sur la route, en longues cohortes, se

A Barcelos, les coqs aux cœurs de perles, pointus comme des fers de lance

presse le peuple gai, habile, qui vous salue avec des rires. Une sympathie qui dit mal la peine à vivre car la culture non plus que la pêche ne permettent à tout ce monde de se nourrir honnê-tement. Il faut partir. Autrefois, c'était pour toujours.

L'outre-mer puisa, dès le siècle de la Renaissance, les hommes qui coloni-seront les côtes de Guinée, d'Asie, du Brésil. Aujourd'hui, on émigre surtout vers la France, où on travaille « pour plus tard ». La femme reste au village. Elle laboure la terre, cultive la vigne, embarque sur le bateau de pêche...

En tête de la procession : les gamins habillés en anges

Dentellière et brodeuse, elle excelle dans la tapisserie, la vannerie, l'orfèvrerie et, autour de Barcelos, dans la poterie, moulant les coqs à crête écarlate dont elle bariolera la robe noire frappée d'un cœur pointu comme un fer de lance, nostalgique dans sa couronne de perles.

Avec les produits du jardin, les œuvres naïves prennent le chemin du marché, où on trouvera un peu de tout, même des bœufs au manteau d'ambre et aux cornes en forme de lyre.

Quel goût du pimpant, du bruit, de la fête ! Toutes les cérémonies religieuses dégénèrent en kermesse tapageuse. C'est **la romaria,** qui débute par une procession au-devant

Robes d'ambre et cornes en forme de lyre

de laquelle marchent les enfants vêtus en anges et s'achève par des danses où, dans le tintamarre des orchestres endiablés et la richesse des broderies des costumes, tourbillonnent les jupes des filles. En août, à Viana do Castelo, les fêtes d'Agonia durent plusieurs jours. Autant de sortes de danses que de villages, ou presque. Si le bal s'organise de bonne heure sous les voûtes des arceaux lumineux et dans les ruelles couvertes de guirlandes de papier multicolores, c'est souvent l'aire dallée devant le portail sculpté de la maison de Dieu qui en compose le décor.

Viana do Castelo, Barcelos, deux étapes essentielles sur la route de Porto pour qui emprunte l'itinéraire maritime : jadis port du Brésil, Viana arme toujours pour Terre-Neuve; elle a conservé de belles façades armoriées des XVIe et XVIIe siècles. Prenez le funiculaire qui vous conduira à la terrasse de Santa Luzia. A Barcelos, franchissez le pont sur le Càvado où jurent et chantent les lavandières. Au centre de la place du château des comtes, le pilori symbolise les libertés communales tôt conquises et, au musée, le coq statufié l'innocence du coquillard de Compostelle faussement accusé de viol, mais aussi l'émouvante naïveté d'un peuple tout entier.

Quel goût du costume, de la fête, du tapage !

A Porto, sous le signe du génial Eiffel

La route des conquérants du royaume allait franchir l'impétueux Douro coloré par les limons arrachés aux schistes des gorges. Jusqu'au XIXe siècle, au pied de **Porto,** on le traversait par barque à défaut du pont de bateaux qui résistait mal aux assauts des crues et à la violence des tourbillons, quand il ne sombrait pas sous le poids des hordes de fuyards comme en 1808, lorsque la population effrayée vit entrer dans la ville l'armée de Soult. Louis Ier, en 1860, chargea l'entreprise Willèbrock de jeter les deux tabliers métalliques reliés par une arche, d'une rive à l'autre; déjà, en amont, le génial Eiffel avait dressé le modèle, le pont ferroviaire, qui évoque Garabit et dont on interpréta les plans. Ainsi **le pont D. Luis I,**

São Francisco, fleuron de l'exubérance baroque

œuvre d'utilité nationale, participe-t-il en même temps au charme du paysage urbain de la première grande ville de l'histoire et de la seconde du Portugal moderne. Au terme de la voie naturelle du fleuve empruntée par les bateaux à voile depuis l'Antiquité – elle montra aux marchands de la Méditerranée le chemin de la pénétration de la Péninsule et aux Lusitaniens celui de l'aventure atlantique –, elle s'étale en plein soleil sur la rive droite. Dix kilomètres de développement entre les premières terrasses du vignoble et l'estuaire, au nord duquel le complexe industriel du port de Leixões prit le relais du port fluvial voici cent ans.

Un symbole est attaché au nom de Porto : celui du vin élaboré dans les

Cais da Ribeira : le Vieux-Porto s'y engouffre dans les odorants corridors de la ruche

chais de Gaia, sur la rive gauche. Phénomène récent, qui ne date que du XVIIIᵉ siècle, époque à laquelle les Anglais s'établissent dans les manoirs de la vallée. Alors, dans la ville qui s'enrichit, fleurissent les monuments baroques.

Franchissez le pont et gagnez la terrasse de Serra do Pilar qui domine les caves où, dans la pénombre des voûtes, se dressent les hautes futaies de châtaignier. Gris et ocre, droit devant vous, **le Vieux-Porto** entasse maisons et terrasses au pied de la Pena Ventosa – le rocher fouetté par les vents d'ouest – coiffée par la cathédrale. Ce n'est qu'un écheveau de ruelles humides et bruyantes ; à son pied, depuis le quai – le Cais da Ribeira – s'engouffrent d'intermi-

nables corridors dans la ruche bourdonnante de centaines de petits métiers. Une brume légère enveloppe à longueur d'année ces reliefs, baigne la capitale du Nord d'un gris de perle. L'humidité ambiante a favorisé la naissance de parcs peuplés d'essences exotiques, fleuris de roses et de camélias d'un éternel printemps.

Mais Porto, ville des contradictions, vous déroutera : elle est plus sale, a-t-on dit, « que le pittoresque l'autorise ». L'excuse offerte est de taille, l'adage rappelle que si « Coimbra chante, Braga prie, Porto travaille ». Ville de besogneux, et ville d'histoire : du parvis de la cathédrale, l'évêque Hugues exhorte les croisés à aller soutenir Afonso Henriques mettant le siège devant Lis-

bonne ; Henri le Navigateur y voit le jour, y arme l'expédition de Ceuta, y fait construire les caravelles de la conquête du monde. Ville d'art enfin, enrichie par le négoce du vin : appelé par João V le dépensier, l'Italien Nazzoni la couvre de l'exubérance de ses architectures. Comparée à un cierge de procession, la tour des Clérigos se dresse au sommet de la ville, les nefs romanes disparaissent sous le ruissellement des dorures, débordements que le clergé condamnera en faisant fermer certaines églises, comme **São Francisco** dont la végétation des pampres qui s'enroulent autour des colonnes, les anges et les oiseaux voltigeant parmi les festons de la voûte exigèrent l'emploi de plusieurs centaines de kilos d'or.

Le peuple roman des chapiteaux de Bravães

occupé par un véritable bourg d'espigueiros sur pilotis, aux allures de tombeaux – par les plus grandioses paysages du Nord découverts depuis l'étroit défilé du Lima.

Dans la vallée, à l'écart de la voie historique, comme perdu dans le décor des vignes en espalier, le modeste édifice blond de **Bravães,** œuvre majeure de la plastique du XIIᵉ siècle réalisée dans un granit rebelle, offre à l'admiration son peuple de pigeons, de paons, de griffons sur les chapiteaux qui coiffent les colonnes abondamment chargées du portail triomphal. N'y devine-t-on pas l'influence exercée sur le sculpteur par l'art de l'Orient musulman ?

Au terme du voyage, Braga, cité de la Religion, régnait déjà sur l'Occident lorsque cinq importantes voies militaires s'y croisaient au temps de la « Rome portugaise ». Braccara Augusta fut le grand centre de diffusion du christianisme en Lusitanie. Ses foires au joug et ses processions de la Semaine sainte perpétuent la mémoire du rôle qu'elle joua au Moyen Age. Mais son éclat brilla surtout à partir de la Renaissance lorsque Diogo de Sousa, qui avait vécu dans la Rome de Jules II, la couvrit de fontaines et de calvaires, balayant la cité romane et gothique. Mais ce ne fut rien en comparaison du vent de renouvellement qu'y firent souffler les archevêques des XVIIᵉ et XVIIIᵉ siècles. Tout est rasé ; jeux d'eau et façades monumentales n'expriment qu'un art, le rocaille. Le bouquet allait couronner, aux portes de la cité, la colline toute bruissante d'une végétation exotique ; au sommet des « volées en biais » d'un escalier gigantesque dont les pèlerins graviraient à genoux les rampes croisées, **le Bom Jesus** exprime toute la symbolique du baroque portugais : à l'escalier des Cinq Sens dont il fallait vaincre les mirages succède celui des Trois Vertus théologales auxquelles on devait atteindre pour gagner le salut. Sur l'esplanade, la bascule attend toujours ceux qui ont promis d'offrir, en arrivant, un cierge de leur poids.

Si le baroque ruisselle à Porto, la folie qu'il suscita chez les prélats frappa aussi les villes de la route romane et, en tout premier lieu, la primatiale des Espagnes, Braga. Route romane : depuis Valença do Minho, les pèlerins empruntaient le chemin des collines qui, à partir de Monção, quitte la vallée en direction du sud. Déjà, près du fleuve, les chapiteaux historiés des modestes bourgades de Ganfei et de Friestas préludaient aux chefs-d'œuvre.

On grimpe entre les vignes, les hortensias et les greniers de granit ou de bois, peints en rouge, en suivant des yeux les profils arides de la serra do Gerês constituée en parc national. Deux routes de montagne y conduisent – l'une aux gravures rupestres de l'Outeiro Maior, l'autre à l'airial de Lindoso

Bom Jesus de Braga :
toute la symbolique du baroque portugais

Montagnes sacrées que les collines de Braga. Au-dessus de l'église des pèlerins, voilà le prétentieux sanctuaire marial de Monte Sameiro et son extraordinaire panorama sur tout le nord du Portugal ; puis la citânia de Briteiros, cité refuge et forteresse de la préhistoire dont les fouilles ont livré, à la fin du XIXe siècle, les objets exposés au musée archéologique de Guimarães. De la route qui descend en lacet vers la cité où naquit le premier roi du jeune pays un écart s'impose : la délirante chapelle de Falperra tremble de tous ses profils chers aux archevêques du siècle baroque.

A Guimarães, ouvrons les premières pages de l'histoire du royaume : au castelo vit le jour Afonso Henriques, au début du XIe siècle ; dans la ville basse, sur l'emplacement aujourd'hui occupé par la collégiale de l'Olivier, Wamba apprit, en voyant pousser sur le soc de sa charrue les feuilles de l'arbre de Minerve, qu'il venait d'être élu roi des Goths ; au musée archéologique, parmi les nombreux objets découverts sur les sites préhistoriques voisins, la *pedra formosa* (la belle pierre), gravée de sculptures phalliques aux vertus magiques, était un accubitum.

Antique culte du sexe perpétué, non loin de là, dans la pittoresque petite ville d'Amarante, par les fêtes consacrées à São Gonçalo : l'imagination populaire prête à l'anachorète la vertu de favoriser les mariages. Chaque année, au début de juin, la cérémonie vire à la foire. On y offre, sans vergogne, à celui ou à celle qu'on choisit pour compagnon, un étrange gâteau en forme de phallus. Quant au nom même du bourg, il est peut-être dû aux Maranes, juifs convertis de force sous le règne de D. Manuel, qui observèrent longtemps les rites d'une religion bâtarde. Derrière l'église, l'étage de l'ancien couvent, au-dessus du cloître, est occupé par la mairie et par un musée de peinture : né tout près de là, **Sousa Cardoso,** l'un des chefs de file de l'école cubiste, connu autant pour sa liaison avec Modigliani que pour avoir servi de modèle au célèbre *Portugais* de Braque, justifie son intérêt.

Richesse des musées de la vallée du Douro : à Vila Real, un peu au nord du fleuve, vous négligerez peut-être le musée ethnographique au profit du proche solar de Mateus. L'élégant et prétentieux manoir y mire dans une pièce d'eau ses bougainvillées, ses balustres et ses frontons à coquilles ; dans les salons du XVIIIe siècle, collections de mobiliers, de tapis, de peintures disent la fortune réalisée par le domaine réputé pour son *vinho verde*. Au sud du fleuve-roi, les vignes encore escaladent la colline de Làmego ; de la terrasse du castelo, admirez le sanctuaire de Remedios dont l'envolée des paliers et des rampes croisées décorées de statues et de fontaines est contemporaine de celle du Bom Jesus. En bas, au cœur de la cité, sur la vaste esplanade de la Sé, le palais épiscopal abrite les plus riches collections de primitifs (toutes les peintures de Grão Vasco, provenant de la cathédrale, y sont exposées) et de tapis-

« Découverte » la Chine,
les paravents laqués meublent le Portugal

Sousa Cardoso,
un des animateurs du mouvement cubiste

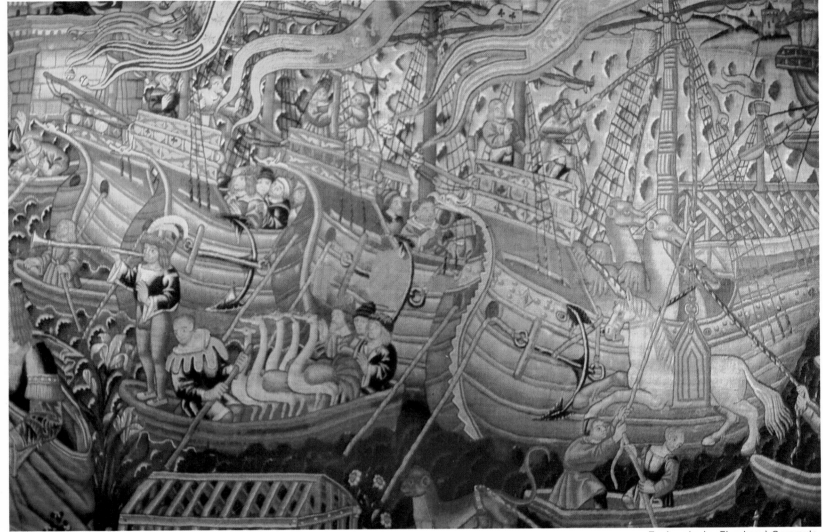

Tapisserie des Flandres à Caramulo :
les Portugais débarquent aux Indes

series de Bruxelles qui soient dans la province portugaise.

La route de Coimbra traverse Viseu : sur l'Adro da Sé – parvis de la cathédrale de granit –, face à l'élégante Misericordia baroque, le palais épiscopal Renaissance, là encore, est devenu musée. Consacré à Grão Vasco et à l'école régionale du XVIe siècle, l'ensemble de primitifs qu'il abrite défie l'imagination. Mais, toujours au sud, à la corne de la Serra qui domine à l'ouest la vallée du Dão, Caramulo, petite station climatique au milieu des bois et au-dessus des vignes, vous étonnera plus encore par ses deux musées voisins. L'un présente un échantillonnage de voitures anciennes en parfait état de marche. L'autre, des œuvres d'art qui illustrent, pour la plupart,

l'aventure maritime et coloniale de la conquête par les Portugais des rivages d'Asie : meubles indo-lusitaniens et porcelaines, **paravents laqués** chinois, **tapisseries de Tournai** relatant l'arrivée des nouveaux maîtres imaginée par les artistes du temps. Le débarquement, on le voit, ne manquait pas de saveur : hommes et animaux prennent place dans les canots – sur l'un d'eux navigue déjà une armée de volatiles – ; suspendu par un palan, un cheval va être déposé dans une embarcation. Mais le musée des Beaux-Arts consacre aussi une de ses salles aux artistes de la première moitié du XXe siècle : Picasso, Lurçat, Dufy, Chagall, Dali, Fernand Léger y occupent une place beaucoup trop modeste.

Vallée du Tâmega, vallée de l'histoire, vallée de la guerre : sur une ligne de fracture, le tracé oblique file comme une flèche du plateau léonais à la banlieue de Porto. A près de deux millénaires d'écart, franchirent **le pont de Chaves** les légions de César et l'armée impériale de Soult. Aquae Flavia était le nom de Chaves dans l'Antiquité : les Romains appréciaient les vertus curatives de ses sources, toujours exploitées

Un « loyal serviteur » repose à Paço de Sousa

Les légions de César franchirent le Tâmega au pont de Chaves

comme le sont, en aval, celles des modernes stations thermales de Vidago et de Pedras Salgadas. Les douze arches du pont défiguré prennent appui sur des piliers du IIIᵉ siècle, et les deux colonnes centrales conservent les inscriptions trajanes de l'époque de la construction. Sur la colline, le castelo médiéval transformé à la Vauban au XVIIᵉ siècle reçut le choc des bataillons de la Grande Armée qui déroutèrent, sous ses murs, les troupes de paysans levées par le comte d'Amarante au service de Wellington.

D'autres voies de passage, à travers la majestueuse serra do Gerês, reliaient jadis les cités d'Astorga et de Braga ; la route en contourne le versant sud, longe

en corniche l'impétueux Càvado coupé de barrages. Voici moins de trente ans, on découvrit deux vertus à cette région désertique, très arrosée pourtant ; l'irrégularité du débit de la rivière et son encaissement allaient entraîner la création de plans d'eau dans un double but : l'irrigation des campagnes de l'Ouest et la production de courant électrique. Une quinzaine de barrages alimentent cinq centrales, dont trois souterraines (vous visiterez avec intérêt celles de l'Alto Rabagão et de Caniçada), qui produisent le cinquième de l'électricité consommée au Portugal. Mais la serra compose aussi un magnifique réservoir naturel : l'originalité de la morphologie des reliefs, la diversité de la flore, des espèces animales, l'archaïsme des modes de vie, la qualité des vestiges archéologiques que sont les bornes milliaires au-dessus de la station thermale de Gerês ont justifié la création récente du parc national.

De Chaves à Porto, la route bifurque à Vila Real vers la serra do Marão et sa *pousada* juchée au sommet de la pi-

nède ; lointaine encore, au pied de la *terra fria* que hantèrent loups et sangliers sauvages jusqu'à l'aube de ce siècle, l'église d'**Amarante** appartenait au système défensif du pont historique, reconstruit avec elle au XVIIIᵉ siècle ; sur un pilier, l'inscription rappelle l'arrivée des hommes de Soult, le 2 mai 1809.

Le Moyen Age roman jalonne de ses monuments l'itinéraire au-delà, mais c'est à l'écart qu'on découvrira les plus originaux. Les sculptures où domine la représentation d'animaux fantastiques signent l'église de l'ancien monastère bénédictin de Travanca. A **Paço de Sousa,** les bas-reliefs du tombeau d'Egaz Moniz relatent la scène qui immortalisa le « loyal serviteur » d'Afonso Henriques : comme celui-ci avait oublié le serment qui le liait au souverain castillan, son émissaire se présenta à la cour de Tolède pour y être châtié. Mais la grâce l'y attendait…

A quelques minutes du bourg, les vignes en rangs serrés se chauffent au soleil de la vallée encaissée, bouillante comme une étuve, du Douro.

Au bout
du pont de l'histoire,
l'église-forteresse
d'Amarante

2

Vignerons et pasteurs du Tras os Montes

Lourds rabelos

Les azulejos des gares racontent les vendanges

La révolution des Œillets a ménagé, comme beaucoup d'autres choses, la fraîcheur d'un passé si brillant que les azulejos des gares de Pinhão ou de Regua diront longtemps encore l'animation retrouvée, dès septembre, dans le couloir torride et sur les plateaux du haut pays isolé de l'Atlantique par les montagnes : au-delà des monts, *tras os montes,* la vie n'a guère changé depuis deux cents ans. Entre les terrasses créées par la longue patience de l'homme sur les versants de schiste du Douro, qu'on compare à une marmite au cœur de l'été, les travaux de la cueillette et du transport se répètent cinquante jours durant. Le Portugal tout entier accourt alors vers la vallée, autant pour le travail que pour l'ambiance qui y règne. Que l'effort à fournir est grand pourtant ! En longues cohortes parfois pré-

cédées d'un musicien, les hommes descendent jusqu'aux cuves et jusqu'aux camions, les hottes lourdes de soixante-dix kilos. Le camion prend la direction de la gare, et le train celle des chais de Gaia. Autrefois, on descendait les hottes jusqu'au fleuve où attendaient les lourds **rabelos.** Des jours et des jours, les vaisseaux à fond plat et au grand timon manœuvraient dans le fil des courants entre les rochers, puis se laissaient glisser sur les nappes. Lorsque le vent était trop faible, la grande voile carrée devenait inutile : on progressait alors à la rame, comme sur les galères.

En amont de Barca d'Alva, sur cent vingt kilomètres, le Douro forme la frontière avec l'Espagne. Son encaissement a justifié l'édification de barrages ; la vieille cité de Miranda domine l'un d'eux. A l'occasion des foires d'été, les hommes vêtus d'étranges costumes – chapeau fleuri, veste à broderies, jupes à volants et bas zébrés – y exécutent **la danse des pauliteiros.** Les bâtons *(paulitos),* en se cognant, scandent la musique des tambourins et des cornemuses ; qui ne voit dans cette geste paysanne une origine guerrière ? Mais il n'est pas moins probable qu'elle prolonge, plus simplement, lorsque le seigle a été battu au fléau, en plein soleil, **le travail des champs.**

Danse de guerriers, ou de moissonneurs, à Miranda ?

voile, vous ne fréquentez plus guère les rapides...

Sous l'implacable soleil du Tras os Montes

17

bâtisseurs de *castros* du Minho, mais leur horizon différait.

Chevauchant les collines sans hommes et sans arbres – si l'on fait exception toutefois de quelques rideaux d'oliviers, de masures et de deux ou trois cités fortes apparues au terme des steppes entre Vila Real et l'Espagne – on débouche comme par aventure sur la petite ville de Murça. Sur un square, en contrebas de la place du Paço do Concelho ornée d'un pilori manuélin torsadé, la *porça* (la truie) de granit, sur son piédestal, a longtemps été considérée comme une œuvre de l'âge du fer ; pour certains archéologues, elle illustrerait les battues aux animaux sauvages organisées par les gens de la région à l'époque des invasions barbares. Une de ses sœurs orne d'ailleurs la *praça mor* (la grande place) du bourg de Torre de Dona Chama, au nord de la coquette Mirandela dont vous contemplerez au passage le pont gothique et le palais de granit des Tàvoras (XVIIIe siècle) dressé au sommet de la colline, narguant le soleil couchant.

Le monument de Bragança, sur la place du donjon, tout en haut de la cité murée, représente, lui, un *varrão* (sanglier). Aucun doute ne pèse sur le caractère préhistorique de l'œu-

Cloué au pilori, le sanglier préhistorique de Bragança

Les traditions paysannes s'accrochent, s'enracinent telles que le pilori fiché dans le sanglier statufié de Bragança, sur ces hautes terres où erraient, naguère encore, les animaux sauvages jusqu'à la limite des neiges, au pied de la serra do Marão... Il fallait donc s'abriter derrière les plis des murailles des cités et des châteaux forts ou dans de solides bâtisses sans autre ouverture qu'une porte étroite.

Le plateau aux horizons vallonnés, qui rappellent ceux des sierras de la Castille centrale, porte la fière **Bragança.** Vallées et terrasses furent peuplées dès les temps les plus reculés de la préhistoire, mais on ne sait pratiquement rien des gens qui gravèrent sur la pierre d'Outeiro Machado, près de Chaves, d'étranges signes cabalistiques ; presque rien non plus des auteurs de ces truies qui ornent les places de quelques villages. Sans doute appartinrent-ils à la race des

Au portail de l'église, une végétation de pampres

Voûte manuéline de Viseu : les liernes s'y nouent comme les cordages des navires

vre. Vers le Xᵉ siècle, on le creusa pour planter sur son échine le pilori qui le transperce, symbole des franchises communales – et avec elles le droit de rendre la justice – imposées au pouvoir royal par des populations dont l'organisation sociale apparaît, aux yeux des observateurs contemporains, très avancée pour ce temps.

Dans son enceinte crénelée, hérissée de dix-huit tours Bragança, qu'on admire depuis les balcons de la *pousada* au coucher du soleil et au lever du jour, a la valeur d'un symbole, celui de la famille royale qui, après avoir mis un terme à une domination espagnole de soixante années, régna sur le territoire de 1640 à 1910. Spectacle enchanteur lorsque la nuit est venue et montent de la vallée les rumeurs de la campagne.

Le donjon massif qui se détache au sommet, au cœur, appartenait à la forteresse que Sancho Iᵉʳ avait fait élever sur la route de l'Espagne au XIIᵉ siècle. Quand vous aurez visité, dans la ville bâtie à l'écart de la citadelle, la chapelle qui vit la célébration du mariage secret de D. Pedro et d'Inès de Cas-

tro, vous ne manquerez pas d'effectuer à pied, par le chemin de ronde, la promenade du rempart, restauré impeccablement comme le donjon lui-même. A l'une des extrémités de la vaste esplanade qui précède le castelo blond, **l'église Santa Maria** n'a conservé que quelques sculptures médiévales et les colonnes torsadées, ornées de pampres à l'époque manuéline, de son portail ; sous les transformations réalisées au siècle baroque, la voûte Renaissance a disparu. Mais plusieurs grandes églises du Nord ont conservé les étranges architectures qui les embellirent alors que le Portugal venait de se lancer dans l'aventure maritime. Vinrent y travailler les sculpteurs formés à l'école de Coimbra ; on en aura la révélation à Guarda, par exemple, où la Sé, « ceinte de cordages de pierre » et crénelée comme un château fort, présente à la croisée du transept une clé de voûte en forme de croix du Christ, symbole manuélin par excellence ; ou encore à **Viseu,** dont les colonnes gothiques supportent l'originale voûte « des nœuds », où les liernes épousent la forme des gros câbles noués des vaisseaux.

D'une bourgade figée à l'autre, le chemin rare cahote à travers l'âpreté des landes à moutons, jonchées de blocs de granit noir lavés et polis, tailladées par les fossés des torrents qu'égaie en avril la floraison des cerisiers. On imagine sans peine que le progrès pénètre à pas lents sur ce territoire de mémoire et qu'il ait peu troublé les pratiques archaïques et les modes de vie des campagnes. Contraints, depuis des siècles, à vivre en communauté, les gens d'ici savent tout partager et tout donner. Nulle part au Portugal l'hospitalité, si parfaitement exprimée par l'œuvre de Miguel Torga, n'est plus franche que dans le Tras os Montes, province de la propriété communale indivise. **La Domus municipalis** de Bragança en constitue le témoignage historique. Dans l'enceinte préromane, juste derrière l'église, l'édifice, assez modeste au demeurant, a huit siècles d'âge : c'est le plus ancien monument civil du pays. Désignée sous le nom de *casa d'agua* (la maison de l'eau, car sa partie souterraine forme réservoir), la mairie médiévale, en granit gris, fut restaurée vers 1910. On respecta scrupuleusement son plan pentagonal indécis. L'étage, très bas (sa hauteur n'atteint pas deux mètres), abrite la salle des séances où se réunissaient les représentants du peuple, éclairée par la superbe arcature continue à petits éléments qui filtraient les rayons du soleil ; la corniche prend appui sur des modillons à têtes humaines.

En imaginant la toute-puissance de l'administration communale dans ces

Pacages infinis du Nord : « J'y roulerai pour toi la maison du berger... »

temps lointains, on conçoit les difficultés rencontrées par les hommes pour assurer la vie du lendemain. A partir de l'époque de la Renaissance, le seul recours fut apporté par l'émigration au Brésil. Aujourd'hui encore, si on vit un peu mieux, c'est surtout grâce aux « étrangers » : ainsi désigne-t-on ceux qui vont travailler en Allemagne ou en France et qui reviennent au pays pour la période des vacances, parvenant tant bien que mal à mener une vie de famille. Le « francês » est attendu avec impatience : à peine de retour, on lui demande de prendre part à la vie du village et de prêter ses bras à la préparation de la fête locale ; ainsi s'organise déjà pour lui le retour définitif, car il a

prévu de s'établir dans le bourg où il deviendra maçon, peintre, ou taxi...

Seule la vie pastorale retient ceux qui refusent d'émigrer. Le berger est le grand personnage du Tras os Montes : c'est lui qui fauche le seigle et qui récolte la châtaigne, qui conduit les moutons et fabrique le fromage. Comme le sol est maigre, il a besoin de beaucoup d'espace. Aussi remorque-t-il, en suivant la progression de son troupeau, la maison de bois aux grosses roues pleines, basse comme celle du berger de Vigny : « Son toit n'est pas plus haut que ton front et tes yeux... » A l'approche de la nuit, l'homme s'enveloppe dans une monumentale cape de peau, parfois un manteau de paille.

La superbe arcature préromane
d'une des premières maisons du peuple (Bragança)

Estrêla : quelle moisson, pour quelle ferme perdue ?

« On a l'esprit religieux dans le Beira, écrivait Yves Gandon, et on y craint les morts. » Solide et glaciale, Guarda en fournit la preuve. En outre, elle commande de ses terrasses, à mille mètres d'altitude, le monacal relief d'Estrêla où se profilent, ras comme des crânes de séminaristes, les plus hauts sommets du pays et, alentour, le chaos des roches, couleur de bure sombre. Bure qui compose aussi le manteau de la ville aux murailles de granit d'une forteresse austère, gardienne ancestrale du passage de l'Europe occidentale vers Lisbonne.

Le toit du Portugal porte un bien joli nom, **Estrêla** (l'étoile), autrement dit le sommet : la reine des serras touche au ciel. Le grand ciel lavé par les vents, balayé d'effilochures de nuages traînées sur les lacs aux eaux de plomb et sur les rochers cyclopéens sculptés par l'érosion. Escaladez donc le contrefort qui commande le site du pittoresque village de Manteigas aux balcons de bois : des noms symboliques baptisent

les formes bizarres qu'ils adoptent sur le site des Penhas Douradas (les rochers dorés) où il est indispensable de se faire accompagner d'un guide. Viriato traqua et décima, à loisir et à plaisir, les légions de Scipion sur ce Mons Herminius où il savait que les soldats s'égareraient ; mais lui-même finit par tomber dans le guet-apens que le Romain lui avait tendu. Ne refusez pas la proposition des bergers qui vous offriront leur compagnie. Le risque de s'égarer ou de glisser dans un précipice justifie en partie le fait que la montagne n'ait été colonisée que très tard – et par les seuls pasteurs qui n'y séjournent guère plus des trois mois où il ne gèle pas la nuit : l'été n'arrive pas avant mai et les bises d'automne chassent les moutons dès les premiers jours de septembre. Alors seulement le gardien du troupeau peut dormir à la belle étoile et, le jour, s'appliquer à la fabrication des fromages de brebis qu'on ira vendre, à partir d'octobre, sur les marchés de Guarda, de Viseu, de Covilhã. A l'approche

du soir il engage avec ses voisins, d'un versant à l'autre, d'étranges conversations chantées, les *cantorias,* dont l'écho se répercute dans la nuit tandis que les chiens, aux colliers à pointes de fer qui les protègent de l'attaque des loups, prennent la relève de l'homme. A Manteigas encore, vous emprunterez la route qui, à flanc de versant, remonte

la vallée glaciaire parfaite du Zezêre, tapissée dès juin d'une immense toison de genêts en fleur ; la neige peut recouvrir encore une partie des sommets. La piste goudronnée gravit les flancs du plus élevé, Tôrre, à près de deux mille mètres. Vous êtes au-dessus de Covilhã, dans le domaine des pistes balisées et des refuges ouverts par l'actif ski-club. A la fonte des neiges, alors qu'au pied des pentes les amandiers ont depuis longtemps saupoudré de rose le vert tendre des blés naissants, les chutes d'eau vont actionner les métiers des tisserands et les moulins des filatures. Les usines de Covilhã, grâce à eux, confectionnent les châles et les célèbres vestes « écossaises » que portent les pêcheurs

Même les rochers cyclopéens rêvent là-haut l'aventure de la mort

Le sculpteur a miniaturisé les rois « mal-aimés » au jardin de l'évêché de Castelo Branco

mémorant le geste des assiégés qui, pour prouver à l'assaillant leur refus de céder à la famine, précipitèrent du haut des murs un veau gras.

Ville forte aussi que **Castelo Branco,** gardienne du passage vers l'Espagne, dominée par l'abrupte colline qui porte les restes du château des templiers. Les ruelles du bourg disent le voisinage castillan ; mais on éprouve le sentiment de côtoyer une autre frontière, celle sur laquelle s'arrêta, près du Tage, à la fin du XIIe siècle, l'avance des armées de la Reconquête sur les Mores. Route empruntée, depuis lors, par les conquérants venus de l'Est ; Junot marchant sur Lisbonne en reconnut les vertus...

Ville aujourd'hui de l'huile, du liège, du fromage et de ces fameuses *colchas* aux coloris vifs, qu'on ne trouve plus guère qu'au musée. Puisque vous arrivez par le nord, vous passez devant l'ancien palais des évêques de Viseu : le musée Tavares Proença l'occupe aujourd'hui. Aux collections archéologiques abondantes, aux tapisseries flamandes de la Renaissance, à la série des primitifs et à la section consacrée aux ornements sacerdotaux succède une amusante exposition d'**art populaire régional,** illustrée par des reconstitutions d'intérieurs paysans avec leur mobilier, leurs vaisselles peintes de coloris frais aux dessins naïfs comme en Alentejo, et leurs colchas, ces couvertures brodées sur lin dont le style et les tonalités rappellent les tapisseries.

Derrière le musée, **les jardins du palais épiscopal** aux buis taillés, aux terrasses étagées que relient des escaliers monumentaux bordés de rampes décorées de statues, composent une des agréables curiosités du haut Portugal. Originale est en effet la disposition de ces personnages parfois légendaires, parfois allégoriques, de ces saints et de tous les rois, d'Afonso Henriques à Carlos Ier. Le sculpteur, par ironie, a représenté en petite taille les trois Philippe d'Espagne, les « mal-aimés » qui ont occupé, pendant soixante ans, le trône du souverain national.

de Nazaré. Sur les prés de la vallée du Zezère vagabond, fuyant vers les forêts de Tomar, on tend de longs écheveaux de laine. Mais la vigne et le seigle commencent de leur disputer l'espace.

En franchissant, sur un pont étroit et coudé, la rivière, vous passez une frontière, celle de la Beira Baixa – la « basse » Beira, ainsi désignée pour l'opposer à l'« alta », celle des montagnes –, dont les plateaux démesurés de terre-à-huile, de terre-à-blé évoquent la Manche espagnole.

C'est le Sud déjà, et son cortège de traditions rurales, et son problème agraire. Acquis à bas prix, au XIXe siècle, par des propriétaires généralement absentéistes, les grands domaines récupérés lors de la vente des biens du clergé et de tout ce qui constituait l'héritage des anciens ordres religieux-militaires furent semés en blé, dont une loi privilégiait la culture. L'olivier n'apparut que beaucoup plus tard : ses rangs serrés comme des bataillons en ligne se perdent dans les brumes lointaines alors que vous découvrez, de la côte d'Alpedrinhas, l'immensité du paysage. Relief de failles et de buttes témoins dont le site perché de Monsanto, à l'horizon, offre un exemple. Ne négligez pas ce village au castelo « cent fois assiégé et jamais pris ». Tous les ans, le 3 mai, s'y déroule la fête des Marafonas ; à travers le bourg aux raidillons étroits, un cortège monte à la citadelle ; du rempart, les jeunes filles iront jeter dans l'abîme des corbeilles de fleurs, com-

La vaisselle décorée de la maison du pauvre. Mais vous êtes au musée

3

La côte Atlantique des pêcheurs et des sages

Sur la lagune horizontale que baigne une lumière diffuse, tiède, glissent en silence d'étranges bateaux, **les moliceiros** – les dragueurs d'algues –, dirigés à la perche par les mariniers. Poussés par le vent, ils progressent avec une telle sagesse, une telle économie de mouvements qu'on imagine, écrit Suzanne Chantal, « quelque mystérieux départ ». La surface vaporeuse et feutrée de l'eau se plisse un instant. Mais regardez bien comme la charge est lourde ! Car on ne se contente pas de transporter la laitue de mer ramassée avec les longs râteaux à soixante-quatre dents, qui fumera les champs humides de toute la vallée du Vouga, mais aussi le sel, mais encore toutes les denrées qu'on vendra au marché, mais enfin les gens. Car, d'une rive à l'autre, le grand lac ouvert au pied même d'Aveiro est d'abord le chemin naturel qu'on emprunte pour se rendre des cabanes de pêcheurs aux marais salants, des ports voisins du cordon dunaire au marché qu'est la ville d'histoire, de la rizière au havre du Canal.

Fermés par un cordon de sable crevé d'une seule passe où s'engouffre la houle apportant la marée, dans les envols de mouettes à la poursuite des barques et des gros morutiers, les cinquante mille hectares de la Ria appartiennent à un ancien golfe. Au Moyen Age, Aveiro était port de mer, un port sur la grève, comme on en voit au nord et au sud de l'estuaire, où s'alignaient au sommet de la dune, juste devant le rocher qu'occupe la cité actuelle, des palheiros de bois. Un jour, au XVIIᵉ siècle, la mer se mit dans une telle furie qu'elle transporta des tonnes de sable dans ses vagues : Aveiro fut coupée de l'océan par le cordon. Donc plus de pêche possible. Petit à petit, l'eau des fleuves côtiers inonda la baie et ce n'est qu'à l'époque napoléonienne que, profitant d'une crue du Vouga, les habitants purent ouvrir une brèche. La vie s'était organisée en conséquence. Bien que poissonneux, le lac ne nourrissait pas son monde. On créa donc des marais salants, on perça sur le pourtour des rigoles pour drainer les champs humides. Ainsi donc, même si la pêche maritime a repris, et si les chantiers de construction, proches du goulet, envoient sur les bancs de Terre-Neuve les lourds morutiers, les travaux de la mer et de la lagune – dragage des crabes et des anguilles ramenés avec les algues – sont-ils étroitement associés aux travaux des champs. L'herbage domine certes – pour la production du lait – mais la rizière, découverte relativement récente, lui dispute d'année en année plus d'espace.

Sur la lagune tiède d'Aveiro glissent en silence les étranges moliceiros   Retour de la pêche ou de la saline ?

27

Tôt le matin, ou dans la lumière dorée des fins de journée, embarquez. L'onde verdâtre du **Grand Canal** d'Aveiro se plisse ; y patientent les vedettes à moteur dans les reflets ocre et rose des façades patriciennes. Elevées pour la plupart à l'époque romantique, dans le style baroque décadent, elles disent le retour à la vie de cette Venise d'occident. Rapprochement qu'accuse, chaque été, le grand rassemblement des moliceiros sur le Canal, à l'issue de courses originales entre São Jacinto, sur la rive occidentale, et la ville. Profitez de l'occasion pour retenir une table sur la terrasse de la pousada d'où vous suivrez des yeux le lent cheminement des longues barques noires aux voiles carrées. Poupes et proues ont été repeintes de neuf pour la circonstance : les scènes naïves aux tonalités fraîches qu'y a tracées le pinceau de l'habile marin paysan relatant les événements de la vie quotidienne, l'aventure de la mer, le retour après une longue absence, les légendes populaires, ou la vie des rois ; c'est le même artiste qui reprendra les couleurs et les motifs ornant les jougs des bœufs, attelés aux chars lourdement chargés d'algues, sur les interminables chemins des prairies lagunaires.

Mais **Aveiro** dispense d'autres charmes : ceux de son Museu Regional par exemple, aménagé dans l'ancien couvent de Jésus ; de son jardin municipal pittoresque aux azulejos narrant la vie de la Ria ; et l'intérêt des cités voisines, Ilhavo au passionnant musée de la mer, Vista Alegre aux douces porcelaines, les plages de Barra, sur le goulet que surveille un phare, les chantiers de Gafanha dont les morutiers, attachés au port des terre-neuvas qu'est Figueira da Foz, peuvent accueillir des équipages de cinquante hommes. Dans les rues de tous les ports, qui se sont souvent doublés de stations balnéaires à la mode, comme Espinho, sèche la morue. Aveiro, dans ce domaine, détient la palme : ne dit-on pas qu'elle sait y accommoder le poisson d'autant de manières que l'année compte de jours ?

Pêche lointaine que compense ici et là celle, très aléatoire, de la sardine, au large des grèves éclaboussées de soleil ; à Espinho certes, à Tocha, à **Mira** plus encore, les hommes montent, à quinze ou vingt, les hautes barques en croissant de lune pour aller poser les filets à une lieue ou deux. Le spectacle du départ et du retour, perpétué à travers les siècles, le halage des filets par les bœufs, attelés en paire, au va-et-vient hallucinant, exigent la patience de votre attente. Le filet qu'on a remonté des heures durant lorsque la mer est houleuse va bientôt apparaître, suivi par les cris des mouettes qu'affole l'odeur. Regardez la marmaille curieuse. A la corne de la dune, les palheiros lavés par les pluies et les embruns, qu'on finira par abandonner car la tâche du pêcheur est trop rude, servent par mauvais temps de refuge aux femmes. En ce moment, dans la belle lumière de l'été, elles attendent, en cercle, accroupies, comme les sorcières de Macbeth.

La lumière dorée des soirs

Sur le Grand Canal : reflets ocre et rose des façades patricienne

Repeintes de neuf pour la fête, les proues en col de cygne

Plage de Mira : la haute barque en croissant de lune des pêcheurs

Impassibles, unis sous le joug décoré d'étoiles et de croix

Ce sont les femmes toujours qui accompagnent sur les chemins de la lagune cultivée les grands chars, lents et silencieux, attelés aux bœufs impassibles, unis sous un joug sculpté, décoré d'étoiles et de croix comme les mosaïques de l'Antiquité. Le joug de l'artiste paysan se fait rare. Contrairement au bateau dont le transport hors des frontières ne s'effectue pas sans inconvénients, il a fait l'objet d'un véritable pillage pour le compte des antiquaires et des collectionneurs du monde entier. Région de polyculture intensive que cette vallée du Vouga, engraissée par l'algue qu'on y dépose en tapis. Au fur et à mesure qu'on progresse vers l'intérieur des terres succèdent aux champs de maïs les cultures arbustives ; olivier d'abord dont l'ombre légère couvre le froment, puis vignes sur les versants irrigués par les *cegonhas,* ces engins étranges que l'homme actionne à bras : le mouvement du long bec rappelle en effet celui de la cigogne puisant dans le sol humide sa provende. Bientôt, c'est la montagne et ses bois, et Buçaco, site privilégié accroché aux premiers vrais reliefs.

L'arête de schiste troue la voûte tendre des nuages à près de six cents mètres. S'accroche à ses flancs une forêt dense, originale, entretenue et protégée des siècles durant par l'Église dont elle était le domaine ; les moines entourèrent d'un mur la propriété aux essences rares, vestiges miraculeusement préservés d'une sylve primitive, unique en Europe, qui date des tout premiers siècles de l'ère chrétienne.

On l'enrichit au Moyen Age, et surtout à l'époque des conquêtes maritimes, d'essences exotiques comme ces magnifiques cèdres du Mexique qui composent une allée triomphale. A l'emplacement du couvent, confisqué au XIXᵉ siècle, la grande bâtisse néo-manuéline faite hôtel de luxe accueillit Valery-Larbaud. Des jardins qui l'entourent grimpent des sentiers à travers le parc national jusqu'au sommet du rocher ; la route y monte aussi, passe devant le petit musée militaire et au pied du monument dressé là où Massena essuya, en 1807, une sanglante défaite. A mesure qu'on se rapproche de l'allée de philarias, l'air devient plus frais. Tout là-haut, de la Cruz Alta (547 mètres), lorsque le temps est clair, le regard embrasse toute la Beira Mar, la vallée du Mondego, Coimbra, la serra de Lousã.

Au sud du fleuve, les collines coiffées de pins ont un air de Méditerranée. Aucun décor n'évoque au Portugal plus intensément la Toscane. Étape essentielle sur la route de Braccara Augusta (Braga) à Olissipo (Lisbonne), **Conimbriga** y brilla de tout son éclat. La cité se développa surtout vers la fin du Iᵉʳ siècle, époque à laquelle elle agrandit son forum. La menace des invasions, à partir du IIIᵉ siècle, contraignit les habitants à édifier un mur qui la coupa en deux ; les Suèves, en 468, pillèrent tout puis mirent le feu à la ville. Alors on décida de transférer l'évêché au nord, sur la rive droite du Mondego, tout en conservant le nom qui allait progressivement se contracter en Coimbra.

Conimbriga :
le plus magnifique
ensemble de mosaïques
luso-romaines
de la Péninsule

Deux civilisations et deux cultures cohabitent aujourd'hui à Coimbra

thermes ; au sud, le chantier de fouilles a permis de dégager, autour de la maison du patricien Cantaber, le centre monumental de la ville antique et, dans le même temps, le quartier plébéien aux échoppes minuscules de dizaines d'artisans. Les pavements de mosaïques aux chatoyantes scènes allégoriques, les plus riches de la Péninsule, demeurent toutefois, à l'angle nord-ouest du site, ceux de la maison des Jeux d'Eau avec son atrium, son triclinium et son péristyle.

Née de l'abandon de la cité voisine, la lumineuse Coimbra étage les cubes colorés de ses maisons coiffées de tuiles brunies jusqu'à la couronne de l'antique castelo. Épanoui, le Mondego lèche le pied du site ; on a longtemps pu franchir à gué, une partie de l'année, le large lit aux bancs de sable doré. Sur les deux collines jumelles, la haute ville signalée par la tour de la Chèvre – ainsi nommée pour le bêlement de sa cloche qui appelait les étudiants à l'ouverture des cours – occupe l'antique oppidum, devenu quartier de l'évêché et des écoles. Sur le pourtour, et à la périphérie, s'étageaient abbayes et couvents : Santa Cruz la manuéline, Celas la romane, Santa Clara l'ancienne, enlisée depuis dans les limons de la rive gauche. Ville méditative et pensante mais tout à la fois bruyante, et encore foyer d'art, capitale portugaise de la sculpture à l'époque de la Renaissance.

Depuis lors, la vie de Coimbra est pratiquement liée aux péripéties de l'Université : au Moyen Age, les rois l'y avaient installée déjà à plusieurs reprises, alors qu'y rayonnait le grand centre de culture mozarabe de l'Occident. Au début du XVIe siècle, João III le Pieux, inquiet de la propagation des idées subversives qui gagnent Lisbonne, décide de mettre une fois pour toutes les étudiants à l'abri de la contagion en les envoyant à Coimbra. C'est un couvent qui les accueille, Santa Cruz, dont le prieur est l'oncle de Camões : le jeune poète y exercera quelques années son talent. Trop mal logée, l'Université ira bientôt occuper le palais royal qu'a fait reconstruire le souverain.

Depuis mille ans, le château fort jouxtait ce qui restait de la ville antique. Le forum – dont on redécouvrit au XIXe siècle, à l'occasion de travaux d'urbanisme, les deux étages du vaste cryptoportique sur lequel il reposait – avait fourni les pierres du palais des évêques, aujourd'hui occupé par le très remarquable musée de sculpture. Les Mores avaient été les maîtres du site qu'ils ceinturèrent de remparts ; deux de leurs portes subsistent, donnant accès au dédale des ruelles de la Médina, blottie au pied de l'alcaçova (la forteresse). De ses terrasses on observait le va-et-vient des bateaux sur le port. Dès le début de la Reconquête, les Portugais trouvèrent là un système défensif et une cité organisée qu'ils se gardèrent bien de détruire ; mais la mosquée fut abattue pour recevoir, sur le même emplacement, la première cathédrale de leur première capitale. Les abbayes fleurirent ; l'une d'elles allait être le témoin, dix années durant, des amours secrètes d'Inès de Castro et du dauphin

Malgré la conduite active des fouilles depuis 1964, on n'aura jamais qu'une idée très imparfaite de ce que fut ce foyer d'art. Au nord du mur, dressé avec les pierres des maisons du quartier aristocratique, une rue se faufile, entre des demeures pavées de mosaïques polychromes, vers les

Cloître du Silence : les trèfles dans les ogives consolèrent les moines de Santa Cruz

D. Pedro, puis le théâtre du drame, immortalisé par un chapitre des *Lusiades* et, beaucoup plus tard, interprété par l'œuvre de Montherlant.

Au début du XVIe siècle, une équipe de sculpteurs normands s'organise en école autour de João do Castilho. Inspirées de l'art décoratif italien du Quattrocento, les œuvres sont ciselées dans la tendre et friable pierre d'Ançã, extraite dans la région. Le peu qui en reste a rejoint le musée. En ces années brillantes, João III offre son château à l'Université – qui prend le nom de Paço dos Estudos (palais des Études) – où le recteur de l'Université de Paris, Gouveia, fondera le Collège des Arts. Jaloux, les jésuites ouvrent à la porte même leurs propres écoles. Le roi se garde bien de troubler l'ordre. Il choisit de s'intéresser à Santa Cruz : **le cloître du Silence,** aux arcades en ogive enjoli-

vées de guirlandes torsadées dessinant un trèfle, consolera les moines de Saint-Augustin. Jusqu'au XVIIIe siècle, l'Université végète. Mais Pombal, qui vient d'expulser les jésuites, met les bâtiments laissés vacants à la disposition des écoles. L'homme du Siècle des lumières réforme les programmes, met les sciences à l'honneur, crée le jardin botanique ; une richissime bibliothèque, aux plafonds peints en trompe l'œil dignes du règne de João V, reçoit les reliures disposées sur des étagères escamotables...

A partir de 1945, le ton monte dans les salles de cours aussi bien que dans la rue. En 1968, les étudiants décident de renoncer, « en signe de deuil », à toutes les manifestations de la vie universitaire traditionnelle. Abandonnées les capes noires coupées d'autant de coups de ciseaux qu'on avait éprouvé de déceptions sentimentales. Mais on con-

Nazaré : l'immense plage des barques, rangées au soir comme des jouets

Travail de femmes, à défaut de bœufs, que le halage des filets

serve les « républiques » et les chahuts nocturnes, qui redoublent en 1974, accompagnés du bariolage intempestif des murs et des statues, où les formations politiques se chamaillent la place : slogans et fresques réalistes disparaissent épisodiquement sous les placards d'affiches multicolores apposées jour et nuit au moindre prétexte.

Les grandes forêts de pins qu'on traverse au sud du Mondego datent du Moyen Âge. Les abbés, avec la bénédiction du « roi-paysan » D. Dinis établi à Leiria, créèrent ces plantations destinées à fixer la progression des dunes. Car le vent souffle fort sur ce littoral où les stations balnéaires, assurant la relève des ports de pêche, attirent aujourd'hui les estivants : ainsi de la plage encore vierge de São Pedro de Moel, aux splendides rochers coupant la grève blonde dont la brume des embruns noie les confins.

Si vous arrivez à **Nazaré** par la route de Coimbra, ne prenez pas tout de suite la direction du quartier du port ; montez au Sitio : de la corne du rocher, à cent mètres au-dessus de la mer, se développe sous vos yeux l'immense paysage de la plage des barques où les rayons du soleil du soir accusent les géométries du dessin des ombres, tandis que les baigneurs attendent peut-être quelque tragédie dans le retour des pêcheurs en retard. Nulle impression de désordre pourtant, mais l'animation gaie d'un soir d'été, quand tous les jouets sont rangés après la bataille gagnée par l'homme.

Un funiculaire descend vers le bourg aux ruelles oblongues, pavées de gros galets, où vous vous égarerez dans le damier propice aux jeux brutaux des gosses, au cheminement silencieux des femmes rapides vêtues de noir, sur les pierres lisses polies par les plantes tannées. Un Portugal de toujours, au quartier des pêcheurs dévalant en droites lignes vers la plage dont il porte le nom, Praia. Point de quai pour ce port. A l'aide de cordes, les bateaux sont hissés sur la grève, mais avant eux les filets. Bien que le tracteur remplace de plus en plus, partout, les couples de bœufs blonds, le halage est encore surtout l'œuvre des femmes. Tant que les barques étaient en mer, elles attendaient, accroupies, puis elles se sont levées, larges jupes à carreaux ou à rayures, gonflées d'autant de jupons superposés que la semaine compte de jours. Avec l'économie de gestes des sages, langage de souffrance et d'émotion, elles ont attendu puis, le filet aperçu, crié et juré dans la clameur du ressac. On a vite chargé les cageots et empli les claies, placés côte à côte sur le sable, on les a lestement posés sur la tête, puis couru vers la criée.

A la criée de Nazaré, la sardine fraîche, vendue aux enchères descendantes, est destinée aux conserveries : cuites à la vapeur, elles sont mises en boîtes le jour même. La part du butin destinée à la consommation locale est coupée sur la grève ; avec adresse, les mains de brodeuses extraient l'arête dorsale du poisson avant de le faire sécher au soleil,

sur la claie métallique, à la fenêtre ou à la porte de la maison, ou plus simplement sur le pavé des ruelles.

La côte la plus poissonneuse du Portugal est aussi la plus dangereuse. Qu'importe ! C'est en automne ou en hiver que vous devriez venir. La prise d'un chalut peut atteindre deux tonnes. En été, la cohue des baigneurs et des badauds offre des désagréments lorsqu'on doit se mettre à la peine. Mais il faut bien embarquer dès que des bancs sont signalés et que la mer le permet ; aussi part-on souvent en pleine nuit afin d'être de retour à l'aube. Dès que le temps est mauvais, les vagues en furie peuvent submerger le lourd vaisseau qu'on lance, et parfois l'ensevelir, sous les hurlements des femmes, présentes comme il se doit.

La barque hissée bien au sec, les hommes vont se reposer, c'est-à-dire jouer aux cartes ou aux dés, et boire encore jusqu'à la nuit. Les plus anciens portent le costume de tradition, chemise à grands damiers, culotte serrée aux genoux, barette de laine – dans laquelle on loge tabac, hameçons et pourboires – tombant sur l'épaule. Le goût du pittoresque, de l'image « vraie » attire le photographe. Comment vivrait-on sans lui ?

Dans la barrette, on rangera le pourboire

La bataille prit fin pour produire un chef-d'œuvre, **Batal-ha,** la bien-nommée. Tout près de Nazaré, deux des hauts lieux de l'histoire militaire et religieuse du Portugal jalonnent la route méridienne, Batalha et Alcobaça, que quelques kilomètres seulement séparent. Tout près de la plaine d'Aljubarrota, où le jeune Nuno Alvares Pereira mit en pièces l'armée du prétendant espagnol à la couronne, le vainqueur, confirmé par ce fait d'armes roi de Portugal sous le nom de João Ier, décida d'élever une basilique à Notre-Dame. Ainsi vit le jour l'œuvre maîtresse de l'architecture gothique nationale. Pour beaucoup de Portugais, le combat décisif du 15 août 1385 est chargé d'un autre sens : cet épisode de la guerre de Cent Ans écartait du trône royal, pour deux siècles, les Castillans. Ainsi l'image de Batalha est-elle porteuse d'un symbole.

Dans le beau calcaire à grain léger que dorerait le soleil, le colossal appareil de l'église sans clocher dresse vers le ciel sa forêt de pinacles, de contreforts, de gâbles et de clochetons aux tons de paille légèrement rosée, évoquant les cathédrales anglaises. Son premier maître d'œuvre fut d'ailleurs un Britannique, appelé par la reine, Diane de Lancastre. Les travaux étaient engagés depuis près d'un siècle lorsqu'on décida de ne pas les poursuivre... Mais, en 1495, le roi de la Renaissance, D. Manuel, découvrit le chantier : il confia aussitôt à ses meilleurs architectes le soin d'ouvrir le portail somptueux par lequel le chœur doit communiquer avec les « chapelles inachevées ». L'auteur des Jéronimos de Belêm, Boytac, sera, lui, chargé du cloître royal dont il va créer les remplages, dentelle de marbre évoquant les adufas mauresques.

Entrez dans la nef : à droite, la « chapelle du Fondateur », par la joliesse de son décor, constitue peut-être le plus beau morceau d'architecture du monastère. On y voit les tombeaux des rois et ceux des Infants Illustres chantés par Camoës. Approchez-vous du gisant d'Henri le Navigateur : poitrine et visage à découvert, il dut être exécuté en sa présence. « Ce passionné était un méthodique, écrit Paul Teyssier, mais aussi un pur ; il mourut vierge. » A l'extrémité opposée de la nef, derrière le chœur, les « chapelles inachevées » – *imperfeitas* –, entreprises par D. Duarte pour y recevoir son tombeau, restèrent en l'état. D. Manuel conçut d'ouvrir le portail par lequel on accéderait, de la nef, aux sépulcres ; mais les travaux se limitèrent à l'édification du portail, guipure de pierre aux transparences dignes des palais de l'Espagne musulmane voisine, mais aussi inspirée de l'art hindou. Car c'est bien la porte d'un temple de la nuit, avec ses madrépores et ses coraux, qu'on franchit pour passer de la maison de Dieu à celle des Morts. La loggia Renaissance, voulue plus tard par João III, ne fut pas, non plus, achevée.

Autour du vaste rectangle du cloître royal s'allient en parfaite harmonie les arcades gothiques et les remplages

Batalha : le grand portail aux transparences inspirées de l'art hindou.

... et la fontaine du cloître royal, comme en un palais d'Orient

manuélins qu'un siècle sépare. Sous les ogives, les clôtures confèrent à la cour médiévale une exubérance orientale qui en fait l'un des monuments les plus impressionnants du monde par la richesse du décor où dominent les dessins d'étoffes et de broderies. Ne sont pas absents pour autant les symboles du siècle des découvertes, non plus que les motifs végétaux, goûtés par le souverain, grand admirateur de l'Alcàzar de Séville. Dans l'angle nord-ouest, sous un éclairage féerique, les deux vasques de la fontaine du Lavabo reprennent, en les répétant, les motifs des fenestrages ; le marbre ajouré, le gazouillis de l'eau, la lumière du soleil s'y harmonisent comme dans un palais d'Orient.

Le marché d'Alcobaça déborde de vie colorée

A peine reconquis, le domaine où Alcobaça allait voir le jour était confié par Afonso Henriques aux moines de Cîteaux. C'était en 1153. Quelques années allaient suffire pour en faire le plus riche terroir du pays. Dans le jardin irri-

Haute nef blanche, «idéal en pierre» des moines de Cîteaux

gué, les cultures maraîchères apparaissent, la vigne, le blé ; on acclimate l'oranger. Les meilleurs melons du pays, comme d'ailleurs les oranges, sont aujourd'hui encore les fruits des anciennes quintas monastiques. Les vergers se sont développés (Alcobaça est renommée pour ses conserves de pêches et d'abricots), la résine est recueillie en forêt, et au XIVe siècle déjà on tisse le coton. Richesse toujours actuelle de la vallée, tous les jours, à l'ombre du mur de l'abbaye, le marché déborde de vie joyeuse et colorée. On y trouvera, à côté des produits de la ferme, les charmantes poteries bleues, vernissées, qui ont assis la renommée des artisans de la région.

Les cisterciens menaient une vie de travail : la règle de leur ordre leur imposait de pourvoir eux-mêmes à leur subsistance. Mais ces cultivateurs étaient des lettrés ; leur première église fut une école autant qu'un édifice religieux. Le collège a traversé les siècles. C'était aussi des bâtisseurs. La première église fut abattue par les hordes d'Al Mansour. La haute nef blanche qu'on admire aujourd'hui, la plus haute du Portugal,

date du début du XIIIe siècle. Beaucoup de transformations seront réalisées au Moyen Age, à la Renaissance, au XVIIIe siècle, époque de la construction de la cuisine à la grande hotte. Le vaisseau blanc n'en émeut que davantage : le dépouillement de la nef centrale traduit «l'idéal en pierre» de ses auteurs. Nues et hautaines les trois travées élancées, où le pas sonne longuement sur les dalles, mènent au chœur dans la lumière d'argent filtrée par les hautes fenêtres, en traversant le transept. Les deux bras abritent les mausolées d'Inès de Castro et de Dom Pedro. Mariés dans le secret. Elle, assassinée par le père du dauphin. Devenu roi, Pierre fait transférer la dépouille jusqu'à ce monastère. Après Camoẽs, et beaucoup d'autres, Montherlant interpréta le «fait divers» médiéval. Voici les tombeaux, restaurés enfin. Taillés dans un calcaire si tendre qu'on l'a comparé au grain de la peau d'une femme, les deux chefs-d'œuvre de la Renaissance ont été disposés vis-à-vis afin, assure-t-on, qu'en se relevant au jour de la Résurrection, les deux amants se retrouvent aussitôt face à face et les yeux dans les yeux.

Le Portugal est émotion. Nulle part ailleurs que sur les collines d'Extremadoura – la province « extrême », la plus occidentale – la vie rurale n'est davantage associée à l'histoire. Dans le vent d'ouest tournent des ailes les moulins, chantant de tous leurs sifflets d'argile disposés en couronne. Dans la lente et inexorable litanie de l'histoire les draps blancs, fixés aux mâtures semblables à celles des vaisseaux des conquérants, flottent pour l'éternité. Portugal égale charme du passé, de l'aujourd'hui, du toujours. Contemplez la dentelle des créneaux d'**Obidos** qui ne s'achève pas... Le paysan qui a élevé les murs, conquis les mers, battu le blé a besoin de croire encore : dans l'enceinte aussi sombre que le bois de châtaignier, l'église blanche, badigeonnée de frais chaque année comme toutes les maisons du bourg, est la sœur du moulin. Elle est aussi le refuge de la pensée qui a guidé l'édification de cet univers. Le moulin, lui, a bien failli ne pas résister à l'épreuve. Ses amis, constitués en association, l'ont restauré par centaines. Le

réseau est dense, sur la côte ventée, des tours blanches alignées comme les grains d'un chapelet au-dessus des vallées où la céréale croît à l'ombre légère de l'olivier. Depuis le XVIIIᵉ siècle, la vigne s'impose davantage ; froment en recul, le moulin avait moins de raison d'être.

Assise sur les champs du bocage, la route de la Reconquête contourne la fière Obidos, jadis port de mer. A l'ouest de la cité rejetée sur le littoral comme une nef échouée, les alluvions ont comblé le golfe, barré par les dunes. Il est si charmant le décor de cette *lagoa* – lac sauvage peuplé d'anguilles énormes – que ses rives ont bien failli être la proie des promoteurs immobiliers. Du rempart en couronne, admirez-la dans la vaporeuse lumière des soirs, qui teinte de rose la ville des fleurs, ses manteaux de bougainvillées, ses bouquets d'arums, de volubilis comme dans les îles atlantiques qu'elle contribua à conquérir. Site stratégique, au demeurant, excellent point d'observation, menacé souvent, donc assiégé, pris d'assaut, perdu, repris tant de fois ! Séduites par son charme, son exotisme, sa féerie tout orientale, les femmes voulurent la conquérir aussi : D. Dinis l'offrit à sa jeune épouse Isabelle, et c'est ainsi qu'elle allait demeurer, jusqu'au milieu du siècle dernier, l'apanage des femmes des rois. Donc choyée et fleurie. Et colorée : les badigeons de chaux outremer, ocre, carmin encadrent portes et fenêtres, marquent les arêtes irrégulières des maisons blanches à l'angle des ruelles pavées, coudées, en escalier. Ajourées comme dans l'Alentejo qu'elles annoncent, les cheminées ajoutent la note de leur fantaisie. Mais la part de la tragédie n'est pas absente du décor ; dominant la place de Santa Maria, le pilori s'orne d'un filet de pêche pour rappeler la douleur d'une reine voyant revenir la dépouille de son fils, noyé dans le Tage et recueilli dans le filet d'un pêcheur.

Du chemin de ronde, interrompu seulement à la pointe nord, là où se

La dentelle des créneaux d'Obidos

Dans le vent,
les moulins chantent
de tous
leurs sifflets d'argile

La féerie émeraude de Berlenga

dresse le donjon qui abrite la pousada, baignez vos yeux du bijou de village dont les pampres unissent les toits ; à l'ombre, s'activent les tisserands. En bas, les boutiques proposent leurs œuvres chatoyantes, mêlées à la pacotille. Et puis, lorsque vous aurez admiré les azulejos de Santa Maria, entrez dans le musée voisin où les mièvres peintures de Josefa de Obidos accompagnent les souvenirs des guerres napoléoniennes, car les hommes de Masséna, à l'époque du long siège de Tôrres Vedras, séjournèrent à deux reprises dans la ville.

Peut-être, avant d'arriver, vous serez-vous arrêté à Caldas da Rainha. Le parc des thermes évoque la création de la station par la reine Leonor qui avait manifesté le désir d'éprouver les bienfaits de l'eau boueuse dans laquelle se baignaient les paysans. Au siècle dernier, le jardin fut doté d'un musée consacré au portraitiste local de grand talent, J. de Malhôa.

Au nord de la petite ville, l'anse en coquille (la *concha*) de São Martinho do Porto abrite une importante flottille de pêche et de plaisance. Au sud, **Ericeira** hisse sur la grève, au pied de la falaise, ses barques multicolores. Ayez la sagesse de faire un crochet, auparavant, vers Peniche. La citadelle – dont les hôtes furent les prisonniers politiques de Salazar et de Caetano – surveille de ses échauguettes et de ses bastions à la Vauban l'entrée du port, renommé autant pour ses sardines que pour ses dentelles au fuseau, où vous embarquerez pour la féerique **Berlenga.** Au large du cap Carvoeiro, déchiqueté par l'océan, creusé de grottes, l'énorme roc rougeâtre, dans sa ceinture d'écueils, fait office de sentinelle.

En une heure, par le sentier tracé dans la broussaille pétrifiée de sel, vous en aurez fait le tour : falaises de cent mètres plongeant à pic dans l'eau verte d'une transparence éblouissante, havres propices à la baignade, à la plongée, à la pêche sous-marine, à la promenade... Manœuvrées à la rame, les barques se faufilent dans d'étranges corridors, comme le Furado Grande (le grand tunnel) qui débouche sur la baie de Cova do Sonho (la grotte du rêve) aux parois d'un fjord somptueux. Un autre couloir aboutit à la Cova Azul (la grotte bleue), plus modeste que celle de Capri assurément, mais d'une comparable couleur émeraude due à la réfraction de la lumière.

Jusqu'à vingt ou trente mètres de fond, les chasseurs évoluent dans un océan de poésie : la pêche est toujours fructueuse dans ces rochers réputés pour leurs langoustes, et les poissons, saisis au harpon, ont souvent une taille impressionnante. Langoustes et crustacés font la renommée d'Ericeira qui cache, dans les replis de sa falaise, de grands viviers. Comment résister à la tentation d'entrer dans l'un des restaurants du vieux quartier parfumé par la cuisson du homard ?

C'est à Ericeira qu'embarqua pour Gibraltar, à bord du yacht *Amelia,* la famille royale dans la matinée du 6 octobre 1910. Presque en cachette, elle avait passé la nuit au proche couvent de Mafra.

Le monastère, qui coûta « plus cher que le Portugal entier ne valait », fut édifié, au début du XVIIIᵉ siècle, par João V à l'apogée de son règne, avec un souci évident de prouver aux Espagnols que le pays était capable d'avoir son Escorial.

Au pied de la falaise d'Ericeira,
c'est le tracteur qui hisse les barques

Le portail arabe pastiche du délirant château de Pena

De fait, l'immense « monument d'ennui en marbre » copie l'œuvre castillane de Philippe II. Il en dépasse même les dimensions. Une école de sculpteurs florentins et romains s'y constitua autour du maître d'œuvre allemand Ludwig. La filiation baroque italiano-germanique est évidente dans la gigantesque réalisation où de jeunes architectes éprouvèrent leur art ; ainsi de Machado de Castro, à qui Pombal devait confier la reconstruction de Lisbonne.

« Visiter Mafra de temps en temps, à titre de pénitence », dit Miguel Torga. On conçoit mal en effet qu'il soit possible de parcourir l'ennuyeux monument en une seule visite ; entrez au moins dans l'église pour admirer les coloris de la nef et ses marbres, la coupole élégante dans sa prétention, les grands rais de lumière...

Depuis Cheleiros et la profonde entaille de son val, les vignes s'accrochent aux versants ; seul le plateau qui l'isole de Sintra leur échappe en partie, et pour cause : le marbre affleure. On a puisé dans les carrières non seulement la pierre de Mafra et de tous les châteaux – ou presque – de Sintra, mais une bonne partie de celle des monuments de Lisbonne. En revanche, le vin est roi jusqu'à la corniche de l'océan. Si beaucoup de moulins qui chantaient à la corne de la falaise

pour moudre le grain dans le vent ont été abandonnés, c'est que la vigne peut se passer d'eux. Elle a tout conquis. Qui s'en plaindrait d'ailleurs ? Car le vin de Colares a bonne renommée.

Colares, Maçãs, Azenhas... Plages de Sintra ouvertes d'aventure entre deux rideaux de falaises. Quatre-vingts, cent mètres de haut. Cent cinquante au **Cabo da Roca** qui tourne une page du roman conté par le chaînon – îlot éruptif point très haut pourtant, cinq cents mètres à peine – de la serra de Sintra qui ferme à l'occident le paysage de Lisbonne.

Encore que la morphologie du relief, ses blocs tailladés par l'érosion, puisse passionner l'amoureux des paysages, le monde végétal qui l'enveloppe le fascinera davantage. Byron, parmi beaucoup d'autres romantiques, y puisa le lyrisme de Childe Harold. Exubérance de la forêt tropicale accrochée aux chicots de quartz jaillis du calcaire, dans le tourbillon des vents océans. Comme Southey, comme Eça de Queiroz, vous succomberez au charme, et vous comprendrez mieux la folie qui gagna l'époux de la reine Maria, autour du délirant **castelo da Pena** édifié à portée de voix du sommet de l'arête.

Admirable parc naturel, enrichi avec le temps par l'apport d'essences originales, souvent tropicales ; les arbres géants y croissent parmi les fleurs sous la caresse des vents humides de l'été, des brouillards moites de l'hiver, des pluies d'orage de l'automne. Orage et foudre : l'incendie peut ravager des hectares du royaume des grands pins, ouvrant le désert dans la forêt fragile.

Mais les parcs sont toujours là. Habiles et savants, les jardiniers des maîtres d'autrefois, soucieux de satisfaire leurs goûts, acclimatèrent les végétaux africains, américains, asiatiques. A Monserrate, les plus belles fougères arborescentes de l'Europe du Sud couvrent les flancs d'un ravin tout entier. Dans les domaines s'égaient les villas blanches coiffées de tuiles écarlates, vernissées parfois. Troncs et branches s'enchevêtrent, disparaissent sous les lichens et sous les mousses. Glorieux éden des poètes anglais. Parfois, de l'étroite route en corniche qui sillonne la montagne, apparaît, l'espace d'un instant, le lointain clair de la mer au-delà des rangées d'eucalyptus et des vignes. Dans le silence. Southey ne put qu'y découvrir « le lieu le plus béni de tout le monde habitable ». Qu'on ne s'étonne pas si, dans ces conditions, l'univers de Sintra a suscité la convoitise des grands ; plusieurs châteaux autour de la ville témoignent d'une passion de deux millénaires.

A travers bois les routes dévalent vers les grèves, petites au nord autour de Praia das Maçãs, immenses sous le soleil de la Costa do Sol, qui les dore, au sud. Les modernes et surpeuplées stations de Cascais et d'Estoril y connaissent deux printemps : les arbres fleurissent deux fois dans l'année. Les chemins de la serra desservent aussi l'ample plage de Guincho, assaillie par les embruns, aperçue de la

La forêt fragile de la serra de Sintra

terrasse du castelo da Penina, tout à fait à l'ouest du massif ; dans les matins clairs vous y découvrirez à vos pieds, au bord de l'océan, le rouge phare de Cabo da Roca.

Franchie la sylve des eucalyptus et des pins, des chênes verts et des caroubiers, c'est le maquis brutal des épineux qui recouvre la lande du plateau jusqu'à la pointe extrême de l'Europe. Promontorium Magnum des Luso-Romains, quel océan de mystère ne contemplez-vous pas ! Dans les ténèbres de la préhistoire, le royaume des Atlantes s'engloutit sous vos yeux.

Tournons le dos au paysage et observons, au sud, la sortie de l'estuaire des découvreurs de l'Outre-Mer. Dans les courants qu'échangent le Tage et l'Océan, les gros cargos tracent des sillons comme pour affirmer leur maîtrise. La brume nimbe la grève de Caparica ; les pêcheurs attendront qu'elle se lève pour glisser vers les embruns les hautes proues de bois. Les dangers que présentent ces parages pour la navigation ont assurément guidé vers le site de l'antique **Sintra,** à dix kilomètres des

côtes, bien à l'abri sur le relief, les premiers commerçants de la Méditerranée. Les religieux firent de même, mille ans plus tard ; une de leurs fondations s'en fut occuper le relief le plus élevé. C'est là que se dresse aujourd'hui le rocambolesque amas de constructions voulu, au milieu du siècle dernier, par Ferdinand de Saxe-Cobourg. Sur l'emplacement du couvent des Hyéronimites dont il conserva le cloître manuélin, le prince créa pour son plaisir les bâtiments fantasques de **Pena** : on plagia tous les styles des monuments de l'histoire portugaise et on en inventa d'autres, aussi le baroque le plus truculent ne manque-t-il pas de renchérir sur le manuélin. Œuvre qui n'est pas sans charme, dans un site exceptionnel de surcroît, car le panorama dépasse en imagination ce que l'image suggère.

Tout autour, la forêt. Hugolienne. Au pied même du château le jardin eût ravi le père du romantisme, mais il n'est rien en comparaison du parc. Deux cents hectares d'essences généralement riches et denses. Hélas, la route carrossable y pénètre, atteint le pied de la

Cruz Alta (529 mètres) : s'il fait beau, vous apercevrez Peniche au nord, tandis qu'à l'est Lisbonne se développe dans l'axe de la silhouette.

De la galerie ogivale, sur cour, du château de Pena, apparaît le piton boisé où court la frise, à flanc d'arête, du castelo dos Mouros. Élevé par les Arabes, il commande tout l'Occident portugais. Grâce à une restauration récente on peut suivre le chemin accidenté de sa courtine frangée de créneaux et contempler à loisir le lilliputien palais de Seteais et, plus proche, la cité historique dont le paço da Vila occupe le cœur.

Paço da Vila, palais de la ville, palais royal : sur l'emplacement de la forteresse romano-gothique qu'elle respecte en partie, l'œuvre des souverains de la Renaissance portugaise allait devenir la résidence d'été des rois de la dynastie d'Avis.

Les transformations effectuées, à partir de la fin du XVᵉ siècle, par D. Manuel puis par João Iᵉʳ ont un double aspect : tout d'abord, on agrandit le palais en ajoutant des pavillons, puis on crée le décor – fenêtres géminées, plafonds et

Au palais royal, autant de pies au plafond que de dames d'honneur à la Cour

patios dans le style des palais de l'Espagne musulmane dont les rois de Castille viennent d'achever la Reconquête. Après la prise de Grenade, une véritable mode de l'art hispano-arabe s'empare des souverains de Séville et de Lisbonne. C'est d'ailleurs à des céramistes de Séville que Manuel commande ses azulejos : le palais de Sintra se doit d'égaler l'Alcàzar !

Ce sera donc une Alhambra portugaise. Jardins secrets où murmurent les fontaines parmi les orangers, les jasmins parfumés et les myrtes, où chantent les oiseaux. Les voûtes à stalactites couvrent les salles qu'éclairent des fenêtres andalouses. Mais on complète le décor ; les azulejos content les exploits du monarque, les plafonds des anecdotes où

Le rocambolesque castelo da Pena, à la couronne de la serra

s'exprime son goût du symbole : dans la salle de lecture, les pies qui tiennent dans leur bec une rose occupent le plafond tout entier, relatant une aventure galante – la légende veut en effet que la reine ait surpris dans cette pièce son époux courtisant une dame d'honneur. Les lettres dessinées dans les roses – *por bem* (pour le bien) – traduisent sa réponse. Mais au plafond apparaissent autant d'oiseaux que la Cour comptait de dames de compagnie...

Queluz : dans la perspective des fontaines, la façade française

Vagabonde et spirituelle, la société royale portugaise créera, aux portes de Lisbonne, ce palais des fêtes galantes entouré de jardins à la française, **Queluz.**

Sur la place pavée du village, regardant l'église baroque, rose comme elle, la façade sur rue traduit le goût de tout ce qui évoquait, chez Maria Ia, le souvenir de Versailles : la reine avait été la fiancée de Louis XV. L'imagination créatrice des artistes portugais a traduit dans les tonalités tendres dignes de Watteau cette architecture où les bulbes des toits, les encadrements des fenêtres, le crépi même confèrent beaucoup de personnalité au « sans-souci » des souverains du Siècle des lumières.

Si les jardins que n'aurait pas reniés Le Nôtre, avec leurs statues jaunies plus tard par le lichen, développent leurs buis taillés et leurs allées versaillaises devant la façade de cérémonie, c'est en partie parce qu'un Français, Robillon, appelé par la Cour, avait reçu la mission d'édifier le premier palais. Rose sous son fronton et ses balustres, le pavillon n'est-il pas digne d'un élève de Gabriel ?

A partir de 1770, la Cour de Lisbonne s'établit là, pratiquement à demeure. Junot, en 1807, occupera le domaine que vient d'abandonner la famille en fuite. Durant près de quarante années ce fut un univers d'ennui. Relisez Beckford : « Les infants, embaumés vivants au palais d'où ils ne sortent jamais, laissent planer sur toute chose un regard royalement vide. » L'atmosphère devient dramatique à partir de 1792, alors que la folie gagne Maria Ia : elle croit vivre à Versailles. L'administration du royaume est confiée à son fils, João, troublé par le vent qui souffle de France, porteur des idées généreuses de la Révolution...

Le château des concerts de musique de chambre et des dîners princiers n'en est pas moins le théâtre des conspirations contre Pombal et des intrigues de Carlota Joaquina (dont la fidélité conjugale était sans rapport avec la laideur proverbiale), acharnée à installer sur le trône son fils Miguel. Cependant que les invités, goûtant dans les bosquets, se promenaient en nacelle sur le grand canal décoré d'azulejos ravissants, au son des harpes. Les appartements constituent une excellente illustration de ce que furent les arts décoratifs au Portugal à la fin du XVIIIe siècle, avec leurs lustres, leurs tapisseries, leurs somptueuses peintures murales en trompe l'œil. Devant la façade de cérémonie, le jardin de Neptune ouvre, depuis le bassin d'Amphitrite, sur la perspective des buis taillés entre lesquels on jouait à cache-cache. Le soleil éclabousse les géraniums et les azalées dans les urnes, le frou-frou des cascades et des jets d'eau meuble le silence du parc devenu vide. Sous les tonnelles, l'amour attend...

4

Lisbonne, reine du Tage

Interrompu dans sa course, le front du glacier vient mourir sur **la mer de Paille.** De la terrasse de Cristo Rei − le monument élevé en 1936 sur la rive gauche du Tage, face à Lisbonne − la capitale du Portugal, embrassée du regard à deux cents mètres au-dessus du fleuve, déroule son interminable façade sur l'estuaire intérieur et sur le goulet qui l'ouvre à l'océan. Bombant le torse, elle s'agenouille dans les reflets mordorés qui ont valu à l'ancien golfe son nom champêtre. Cargos, chalutiers, pétroliers, transatlantiques, croiseurs, gabares, peuple innombrable de vaisseaux sages, se cherchent, s'évitent sur le chenal qu'enjambe, depuis 1966, l'un des plus grands ponts suspendus du monde. Baignons nos yeux du spectacle de la ville blanche dans la transparente lumière de l'après-midi d'été. Comme Rome, la métropole occupe sept collines. Chacune d'elles dépasse cent mètres, pointe jusqu'à deux cent vingt-cinq au parc de Monsanto, tout à l'ouest, au-dessus de Belêm. Plus d'un million de Portugais − un sur huit ! − vivent là, près des rives de l'un des grands centres européens du commerce ; entendez surtout par commerce les liens que conserve le territoire avec ses anciennes possessions d'Outre-Mer. Mais aussi avec l'Europe septentrionale et les États-Unis d'Amérique, où l'on émigre volontiers depuis les dures années du dernier conflit mondial. Le renouveau du rôle n'interdit pas le respect de la tradition : Lisbonne n'est-elle pas la ville de l'éternelle mutation ? Elle est bien, en cela, une « porte de l'Infini ».

Principal foyer industriel du Portugal contemporain, Lisbonne construit surtout − qui d'ailleurs l'imaginerait autrement ? − des bateaux. Et pas des tout petits : les chantiers de Lisnave, rive gauche (à vos pieds, sur la droite de la photo), ne se contentent pas de réparer les super-pétroliers. Mais il faut encore importer le matériel nécessaire au fonctionnement des usines, comme on fait toujours venir, de plus en plus parcimonieusement, les produits manufacturés en vertu de vieilles conventions... En échange, on vend du bois, du liège, de l'huile, du vin, des conserves de sardine et de thon : c'est le port d'Alcântara, rive droite, qui a la charge de cette mission, sans partage depuis que la fin des hostilités en Afrique (1974) a considérablement réduit son activité. Au-delà s'avance le ventre du Terreiro do Paço, appuyé sur la Baixa et couronné par la colline du castelo São Jorge tandis que se profilent, à l'horizon, les tours blanches d'Engrâça et de São Vicente da Fora.

Comme un grand glacier, Lisbonne la Blanche s'avance sur la mer de Paille

Quai des Colonnes, embarquons pour la rive gauche

Sur la corne de la Lissabona des Mores trône le castelo comme un grand ornement. Les Phéniciens auraient les premiers occupé le promontoire de cette « rade délicieuse », par eux ainsi baptisée Alissubo. Et l'on se plaît à imaginer la fondation légendaire par Ulysse... A l'époque hellénistique, le port s'anime ; le négoce, par la voie du fleuve, permet déjà à l'Ibérie continentale de sortir de l'ombre. C'est donc une cité active que les Romains, ou plutôt les Luso-Romains, baptiseront Felicitas Julia. Mais Olissipo apparaît dès les premiers temps de la décadence. Site stratégique, mais place

dès lors s'y accrochent. Le conquérant, en 1147, met le siège devant la citadelle. Mais il sait bien que l'Infidèle ne cédera que si le contrôle du goulet lui échappe, seule voie du ravitaillement. La flotte royale est réduite à quelques vaisseaux... Mais les croisés, en route pour la Palestine, font escale à Porto. Hugues, évêque de la ville, les incite à jeter l'ancre dans la mer de Paille. Deux cents voiles, rien de moins ! Aux termes de six mois de pourparlers, l'émir capitule, après avoir reçu l'assurance qu'on ne massacrerait pas les habitants. On leur permettra de s'établir hors des murs, au pied du château, sur ce domaine qui allait devenir la grouillante Mouraria. Mais les croisés entrent. La ville brûle... A peine éteint le foyer, la monarchie décide d'abandonner Coimbra. En 1255, elle fera de Lisbonne la nouvelle capitale du royaume.

Jusqu'au XVᵉ siècle, elle ne cesse de s'étendre. D. Manuel abandonne alors la vieille Alcaçova après s'être fait construire un palais au bord de l'eau, le paço da Ribeira. Lisbonne s'apprête à devenir la capitale d'un vaste empire. Bientôt, « la reine du Tage » supplantera Gênes et Venise : de là partent, et là aboutissent toutes les routes de l'Océan. Sous les fenêtres du château royal, que précède la vaste esplanade du *terreiro do paço* (la terrasse du palais), viennent mouiller les navires, battant pavillon de toutes les grandes nations de l'époque. Véritable carrefour des peuples, la Lisbonne manuéline est une sorte de Babel bruyante, bariolée, où s'active une foule bigarrée d'aventuriers, de soldats, de déserteurs auxquels se mêlent esclaves mores et noirs, artisans marocains, trafiquants indiens... Camões, qui va y embarquer pour plusieurs années − achetant ainsi, comme beaucoup d'autres, sa sortie de prison −, chante « la princesse des villes du monde / celle devant qui s'efface la mer profonde ». Un avant-port, Belêm, où Vasco de Gama affrète un vaisseau, avant que Cabral, à son tour, y mette le cap sur le Brésil, double le port royal. Le souverain couvre la cité de monuments prestigieux, œuvres majeures de l'architecture dont la décoration s'inspire de thèmes marins, mais aussi de symboles empruntés à l'Orient asiatique.

Le 1ᵉʳ novembre 1755, jour de la Toussaint, une secousse de quelques secondes, mais d'une violence inouïe, suivie d'un raz de marée gigantesque puis d'un incendie de trois jours, fait de Lisbonne un tas de décombres. Des dizaines de milliers de morts. Voltaire, dans *Candide,* narre à sa façon le sinistre et parle de quarante mille victimes... Au futur marquis de Pombal est confié le soin de restaurer la ville. Sur la Baixa vite aplanie le ministre urbaniste réalise en quelques années une cité nouvelle, rigoureuse, ordonnée comme l'esprit de cet homme marqué par le rationalisme de son temps.

Au bord du Tage, le terreiro do Paço prend un nouveau visage, celui d'une vaste esplanade rectangulaire ouverte, côté ville, par un arc triomphal ; côté fleuve par des escaliers monumentaux entre des balustres aux magnifiques colonnes de marbre descendant aux quais, le **cais das Colunas**

somnolente, proie facile pour les musulmans qui s'y établissent au début du VIIIᵉ siècle, la cité ne sera guère qu'un relais entre le monde méditerranéen et ce qui n'est pas encore l'Europe occidentale, lorsque le jeune souverain qu'est Afonso Henriques découvre l'intérêt de ce point d'appui. Les Mores

dont on admire aujourd'hui la joliesse, et où on continue d'embarquer pour gagner la rive opposée, l'Outra Banda. Jusqu'à la mise en service, loin en aval, du pont suspendu, le bateau était le seul moyen de communication avec le sud du pays. En 1908, retour de Vila Viçosa, D. Carlos venait de débarquer ici même lorsqu'il fut assassiné dans sa calèche. C'est aussi sur la place du Commerce, nom donné au XVIIIᵉ siècle au terreiro do Paço, que fut proclamée en 1910 la République.

La praça do Comercio ouvre sur les grandes artères de la ville pombaline. Si l'arc de triomphe forme la porte de la rua Augusta, centrale, l'avenue voisine, parallèle, nommée Aurea, fut au XVIIIᵉ siècle celle du commerce de l'or. Tous les banquiers et tous les joailliers de Lisbonne y sont encore aujourd'hui établis. Les artères de la Baixa, entre la place et le cœur vivant de la capitale, le Rossio, se coupent à angle droit, technique du plan en damier, d'un parfait classicisme, dessinant un vaste échiquier sur l'emplacement de l'estuaire d'un ancien affluent du Tage. Tous les immeubles y sont identiques, pas très élevés, bâtis avec des poutres équarries aux mêmes dimensions avant d'être chargées sur les navires, au Brésil. Dans l'une des perspectives de l'inlassable répétition d'entablements, de corniches, de ferronneries, reproduits à l'identique sur des centaines de mètres, se dresse la tour de l'**elevador do Carmo,** l'ascenseur construit à la Belle Époque, qui dessert les quartiers hauts de l'ouest, grouillants d'une vie bouillonnante. C'est là que se tiennent les principaux cabarets de Lisbonne, ceux où vous irez assister à un « spectacle » de fado. Très nombreux sont les belvédères de la ville, aux quartiers populaires haut perchés, souvent desservis par des funiculaires. De la terrasse supérieure de l'elevador vous admirerez le développement des collines, la mer de Paille et, au nord, fermée par la façade du théâtre, tout en bas, le Rossio.

Tracé sur l'emplacement du Rossio médiéval où se déroulaient les autodafés, le centre de la vie urbaine est demeuré un forum. Le matin s'y tient le marché aux fleurs ; en fin d'après-midi, on s'y presse aux terrasses des bars pour y discuter des faits du jour, pendant des heures. Alentour, plusieurs rues sont réservées aux piétons. Le spectacle de la rue est un des attraits de la capitale portugaise. Plus encore depuis 1974, année où un vent de liberté a soufflé sur la ville qui s'est bien gardée de le dompter. Aux marchés traditionnellement anarchiques, encombrant les trottoirs et embouteillant les ruelles, se sont ajoutés, entre les placages d'affiches, les étals des marchands de journaux dont les piles de titres occupent plusieurs mètres carrés de pavage, à défaut d'une table. Soif de lecture. Soif de la nouveauté, de l'événement. C'est le Rossio qui accueille les grandes manifestations populaires, qui voit se défaire et s'achever les défilés. Nul lieu n'est plus propice : les ruelles populeuses y débouchent à foison.

54

Dressé comme un « i », l'elevador do Carmo

Quelle fièvre de lecture, née soudain...

Embrassée de la terrasse de Santa Luzia, toute l'Alfama

De la vingtaine de miradouros que compte Lisbonne, aucun n'égale, pour le charme du paysage qu'on y découvre, celui de **Santa Luzia.** Au-dessus de la cathédrale la raide rue pavée, où les taxis fument dans le ferraillement des trams, dessert la terrasse fleurie parée de mosaïques. De la tonnelle en balcon, tout le vieux Lisbonne qui a survécu au tremblement de terre de 1755 révèle impudiquement ses grâces : c'est l'Alfama. Le nom, déformation d'*alhama,* évoque la proximité d'une fontaine thermale et de bains arabes qui ont disparu... Les ruelles dégringolent, entre les cascades des toits, les façades baroques des églises, jusqu'au Tage où sommeillent, patients sous le soleil de plomb, des dizaines de vaisseaux. L'Alfama, ce n'est qu'un labyrinthe de venelles escarpées, d'impasses *(becos)* s'achevant sur un escalier, de placettes *(largos)* minuscules, d'amples façades ensoleillées aussi, aux fenêtres grillagées, aux pignons percés de lucarnes, dans un incroyable pavoisement de lessives, de guirlandes de fleurs de papier, de niches où on loge pots à basilic et images de la Vierge, de cages à serins et de géraniums. Voilà pour le décor. Le quartier ouvre aussi une grande page d'Histoire : toute la cité médiévale, épargnée par la catastrophe du XVIIIe siècle, est écrite dans son paysage. Quartier pétillant de vie. Mais d'une vie miséreuse. Le marché dans la rue – permanent – est à même le sol : poissons, tomates y côtoient dans la poussière, ou sur le pavé humide, nauséabond, les ustensiles de cuisine, le linge, ou les cierges qu'on achète pour le soir même et qu'on allumera en disant une prière devant quelque effigie de la Madone.

L'Alfama laisse l'impression d'avoir été conçue pour qu'on s'y égare. On en éprouvera, d'ailleurs, beaucoup de plaisir. Infailliblement pourtant, vous serez happé par le corridor de la rua São Pedro, sa foule de petits marchands pauvres qui vous interpellent pour une aumône, son ambiance moite, ses odeurs tenaces, son air louche, sa maison go-

Sur l'ancien quai au pied de la cathédrale, la façade des Bicos

thique. Et vous grimperez à la terrasse de Santo Estevão pour contempler la scène. Ne vous attendez pas à trouver une vaste place. Deux arbres. Quelques mètres carrés. Les becos aux maisons en encorbellement, les défilés tortueux, les passages sous voûte dévalent, dans les jeux des gosses, les piaillements des poules et des canards, entre les murs lépreux bariolés de slogans révolutionnaires, vers les anciens quais. Là, les pointes de **la maison des Diamants** – ainsi nommée jadis en raison de la taille, à l'italienne, des pierres de sa façade –, aujourd'hui baptisée tout banalement *dos Bicos* (des pointes), évoque la richesse de la ville de la Renaissance : elle appartenait, au début du XVIe siècle, à la famille d'Albuquerque, vice-roi des Indes.

De la corniche du toit jaillit l'un des deux clochers massifs de la cathédrale, romane et gothique, que n'épargnèrent guère les séismes. Dans la nef, on vous montrera la base d'un pilier déplacé par le choc, et lorsque vous parcourrez le

Un labyrinthe de ruelles escarpées dans le pavoisement des lessives : l'Alfama

Au couvent des Augustins, les azulejos content la prise de Lisbonne...

... et ceux de Madre de Deus, l'histoire de leur art

cloître, vous imaginerez quelque musée lapidaire à ciel ouvert. Au plus haut de la colline ne subsistent que de maigres vestiges de l'antique Alcaçova, qui fut résidence des rois jusqu'à la Renaissance. Des ruelles pentues gravissent le flanc du rocher, jusqu'à la terrasse ouverte sur le rempart, d'où on découvre tout Lisbonne. Contournez le castelo : entre les arbres se dessineront les tours de São Vicente.

Grandiloquente bâtisse exécutée par un ingénieur militaire, Forzi, pour le compte de Philippe II d'Espagne ; n'était le calcaire clair, impeccable, on imaginerait quelque Escorial. Par le vallon creux, approchez : élégante cette nef baroque ouverte sur un chœur au parquet de bois du Brésil ; l'église vous passionnera moins que le couvent voisin des Augustins. Les azulejos y représentent **la conquête de Lisbonne** et de Santarém, au XIIe siècle ; plus séduisants encore sont ceux, contemporains, du cloître où la verve de l'artiste du XVIIIe siècle interprète les fables de La Fontaine. Derrière São Vicente, ne vous attardez que le temps nécessaire : tous les mardis et samedis s'y tient, sur le campo de Santa Clara, la fameuse *feira da ladra* – en traduction littérale « foire à la voleuse » – c'est-à-dire le marché aux puces. De la colline, derrière le chevet, dévalent vers le Tage et le faubourg de Beato les rues neuves tracées dans l'ancien quartier de Xabregas ; au passage, ne négligez pas deux musées : dans la cour de celui de l'Armée – aujourd'hui appelé Musée militaire – voyez les couleuvrines et l'impressionnant basilic de vingt tonnes pris aux Mores. Le musée de la Ville, acquis et aménagé par le maire-ministre Duarte Pacheco avant-guerre, occupe l'ancien palais de la Mitra (XVIIe siècle) aux plafonds de

bois décorés d'azulejos. Mais la plus riche collection de ces faïences peintes et vernissées demeure celle du couvent jouxtant l'église baroque, voisine, de **Madre de Deus.** On y découvre avec ravissement l'évolution de l'art de l'azulejo, profond et sensible, depuis le XIVe siècle, en particulier dans les deux cloîtres contigus, l'un de la Renaissance classique, l'autre manuélin, aux stucs rosés d'inspiration mudéjar.

Un bond à travers la ville, que découpent les larges artères rectilignes conduisant à l'aéroport, vous transportera aux jardins du parc Édouard VII, tracés dans la perspective de l'avenue da Liberdade, la grande voie ouverte au XIXe siècle, avec ses pavements de mosaïques noires et blanches épousant le mouvement des vagues, ses jardins fleuris plantés de palmiers, ses bassins étroits où évoluent, dans la pénombre des feuillages, les cygnes noirs. Tout en haut, au-delà de la rotunda, l'ample tapis à la française glisse en pente douce jusqu'au terre-plein monumental entre des allées de jacarandas fleuris encore en juillet. D'un côté, le palais des Sports, élégant sous ses toits vernissés, aux façades élégantes tapissées de grands tableaux en faïence illustrant l'époque maritime du royaume. De l'autre, **l'estufa fria** – la serre froide – et l'exotique pénombre de sa forêt tropicale. Jean Cros y découvrit « l'illusion érotique d'un conte de fées » ; un conte, c'est bien cela, cette féerie de plantes rares et de fleurs que les claies, formant voûte et tamisant la lumière du jour, teintent de mauve. L'imagination se laisse entraîner vers les sylves, toutes bruissantes de la rumeur des cascades, tandis que sur les bassins aux nymphéas flottent les statues.

Dans la pénombre mauve
de l'estufa fria,
les statues flottent
parmi les nymphéas

De la terrasse-esplanade qui barre au nord l'envolée du parc Édouard VII, tout Lisbonne se développe dans le matin clair, celui du grand jour qu'on attendait à chaque aube. Les brumes couvrent encore le Tage, cernent les collines, presque à la couronne, dégageant les seules éminences, roses dans la lumière de genèse. Le soir est plus cinglant. Frappée par le vif soleil, la ville moderne brille et s'agite ; dorés, le castelo à gauche, le Carmo à droite observent la voie triomphale où s'engage, jusqu'au fleuve, le flot des rumeurs. Pointillée de la flottille innombrable de ses cargos minuscules, la mer de Paille a viré au bleu roi, au violet. Demain sera frais. Derrière vous, le mur bariolé cache la vérité. Ou plutôt il la dit trop bien : le front des jardins dont la coulée est retenue par son parapet dissimule au regard la prison, mais annonce la proximité du palais de justice. Le barbouillage intempestif des murs qui anime l'ensemble des quartiers du nord vous surprendra moins lorsque vous saurez que les facultés et la cité universitaire occupent l'ancienne banlieue, à quelques minutes de là. Toujours expressives ces fresques, et dignes ; elles ne manquent pas non plus de talent. Parfois naïves, elles doivent conquérir, par le message, les cœurs de ce peuple de grands enfants. Appels à la manifestation pour la liberté à reconquérir, à l'usine, à l'école, dans la rue, chez soi. Un seul chemin : celui d'une autre vie, meilleure. Pacifiques et

DIA MUNDIAL DA C

ESCOLA

TODAS AS TEM DIREITO A ESCOLA

DIREITO A HABITAÇÃO

AS CRIANÇAS NÃO PODEM VIVER ASSIM

Les murs des quartiers du nord, bariolés de fresques

pacifistes, elles ne le sont pas toujours. On y lapide souvent les *pides* − les agents de la police politique du régime déchu − et on y roue de coups les cagoulards. Sur le mur qui précède l'esplanade de la prison, les barbouillages enfantins, rouge, vert, bleu, jaune vif, composent une frise ininterrompue de plusieurs centaines de mètres. « Les enfants ne peuvent vivre ainsi », lit-on sur l'un des panneaux, consacré à la journée mondiale de l'enfance : « droit à l'école », « droit à l'habitation décente ».

Vous approchez de la place d'Espagne et du moderne parc de Palhavã où Calouste Gulbenkian avait, avant sa mort (1955), formé le vœu d'ouvrir un musée modèle. Le mécène avait fait fortune dans le négoce du pétrole... Il acquit alors progressivement une quantité impressionnante d'œuvres d'art : collectionneur intéressé par l'Orient médiéval, il légua au Portugal ces richesses après avoir créé la fondation qui porte son nom. L'un des plus passionnants du monde, le musée occupe de vastes salles aux baies vitrées ouvrant sur le parc, répondant au vœu du créateur qui souhaitait permettre à tous les publics d'apprécier « dans le silence et la lumière, les joies qu'il avait lui-même éprouvées ». Galerie d'art islamique aux somptueuses lampes de mosquées syriennes, galerie d'Extrême-Orient, salles de peinture figurative, maîtres italiens de la Renaissance, impres-

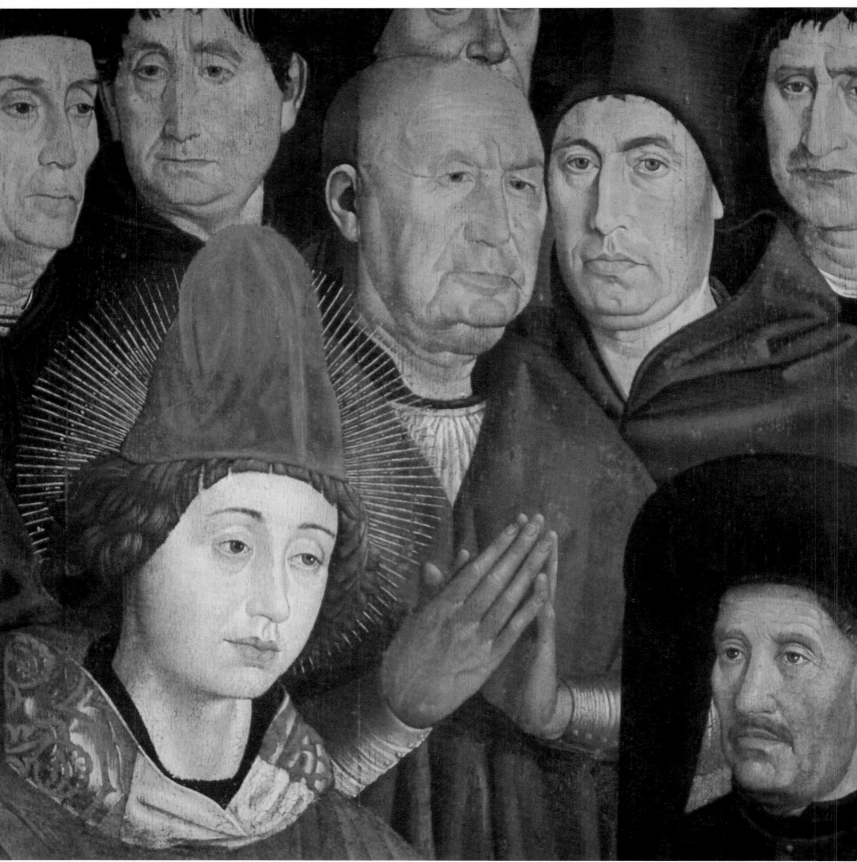

Toute la Lisbonne de la Renaissance sur le polyptyque de Nuno Gonçalves

sionnistes français, œuvres de joaillerie ne peuvent que susciter l'enthousiasme. Mais le bâtiment était insuffisant... C'est pourquoi une partie des collections est toujours conservée au musée d'Art ancien, à l'autre extrémité de la ville.

Tout près du Tage, au-dessus du port d'Alcântara, un bâtiment banal. L'aménagement intérieur fut, il est vrai, modernisé en 1975. Une richissime collection de peintures des écoles étrangères occupe tout le premier étage, tandis que l'étage supérieur est intégralement consacré à la peinture portugaise.

Les écoles qui se sont constituées dans le pays aux XVe et XVIe siècles, sous la direction de Nuno Gonçalves et d'artistes flamands, sont représentées au musée de Lisbonne par de nombreuses séries de retables provenant d'églises et de couvents désaffectés, réquisitionnés par la monarchie au début du XIXe siècle. Les œuvres d'art des fondations du nord du pays ont rejoint les musées régionaux de Porto, de Làmego, de Viseu en particulier. Celles des pays du Tage et de l'Alentejo ont presque toutes trouvé place ici.

C'est de São Vicente da Fora, à Lisbonne, où on le découvrit par hasard il y a moins de cent ans, que provient le grand polyptyque dont l'auteur présumé n'est autre que Nuno Gonçalves luimême. Œuvre capitale de la peinture mondiale, dont la facture, a-t-il été dit, « évoque l'art de la tapisserie du XVe siècle », il constitue un remarquable document sur la société de l'époque. Exécutés vers 1460, les six panneaux présentent **la Vénération de saint Vincent,** patron de la ville, par le roi, les grands du royaume, les religieux, le peuple de la cité : tout le Lisbonne de la Renaissance est là. Autour de la juvénile figure du saint en dalmatique rouge et or, on reconnaît Afonso V et son fils, qui va devenir João II, Henri le Navigateur (page 64), avec son noir chapeau rond et son regard de visionnaire ; et, sur le panneau voisin (ci-dessus), l'archevêque de Lisbonne. Sur les quatre panneaux plus étroits, disposés

de part et d'autre des précédents, figurent des moines, des pêcheurs, des habitants des différents quartiers, un guerrier more, des marchands, un juif portant la Thora, figure fréquente sur les œuvres des primitifs portugais.

L'art du portrait excelle ici. N'éprouve-t-on pas le sentiment de connaître tous ces personnages ? On dirait, costumés à la mode du temps, des Portugais d'aujourd'hui. La profondeur des regards dit la patience, l'attente, presque la résignation ; mais parfois aussi la ténacité, et toujours la mélancolie − *saudade,* mot intraduisible. « Le dessin, écrit Michèle Goby dans un ouvrage excellent, le choix des couleurs, la minutie – très Van Eyck – avec laquelle sont rendus les ors et les broderies des vêtements[...] concourent, en créant la beauté, à l'efficacité spirituelle de l'œuvre. »

Quelques décades à peine séparent la réalisation du retable et l'édification des **Jéronimos de Belêm.** Sur l'emplacement d'une chapelle fondée par Henri le Navigateur, près de la grève où allait embarquer Vasco de Gama (1497), le chantier du plus important des monuments de Lisbonne fut ouvert par D. Manuel en 1495. Grâce aux richesses rapportées des Indes, l'église et son cloître, dont l'achèvement exigera un siècle, constituent l'œuvre majeure de l'art manuélin. A Boytac, son premier maître d'œuvre, appelé à Batalha, succède João de Castilho, l'auteur de Tomar, qui s'associe le concours de « l'imagier » français Chanterene. Hélas, le XIX\ :e siècle allait mutiler définitivement la perspective extérieure du vaisseau, en le prolongeant à l'ouest, et bâtir la coupole bizarre, pour remplacer la flèche abattue par le tremblement de terre.

Avec les siècles, le calcaire blanc s'est patiné d'or : sous le ciel bleu, le jeu des couleurs confère un grand charme au monument. Les portails de l'église vous séduiront par la qualité de la statuaire et par le décor, en général, qui les anime ; au portail ouest, les figures de D. Manuel et de son épouse sont les premières œuvres exécutées par Chanterene au Portugal. Mais la nef surpasse ce que l'image exprime : à vingt-cinq mètres du sol, la voûte aux multiples nervures, soutenue par deux rangées de piliers abondamment décorés, témoigne d'une maîtrise technique exceptionnelle puisqu'elle a intégralement survécu au séisme du XVIII\ :e siècle.

Vaste quadrilatère aux deux rangées d'amples galeries, le cloître abondamment fleuri ressemble beaucoup plus à la cour d'un palais qu'au jardin d'une église. Dans un matériau superbe, la *piedra lioz* de la vallée d'Alcântara toute proche, la décoration sculptée dit en sa profusion, voire ses excès, la volonté des rois de la Renaissance de manifester une puissance politique assise sur la possession d'une bonne partie de l'or du monde.

Tous les centres d'intérêt de Belêm, monuments et musées, sont répartis de part et d'autre de la grande praça do Imperio dont la perspective est à peine coupée au sud par le double passage de la route et de la voie ferrée qui épouse le tracé de l'ancien rivage. Au nord-est, côté Lisbonne, le musée des Carrosses occupe l'ancien manège royal. Les véhicules alourdis de toute une statuaire mythologique datent pour la plupart des XVII\ :e et XVIII\ :e siècles. La voiture de João V fut longtemps utilisée à l'occasion des visites officielles : Édouard VII, le président Loubet y prirent place... Mais les plus impressionnants, par leur taille, de ces carrosses sont les trois voitures de l'ambassade du marquis de Fontes au Vatican, au début du XVIII\ :e siècle : il est évident que João V s'estimait au moins l'égal du chef de l'Église. Des portes demeurent ouvertes, intentionnellement : en soulevant les coussins, on note avec amusement que tout était prévu pour qu'on n'ait pas à descendre de voiture en cours de route...

Jéronimos de Belêm : la voûte manuéline aux multiples nervures

Cloître des Jéronimos : cour de palais plus que jardin d'église

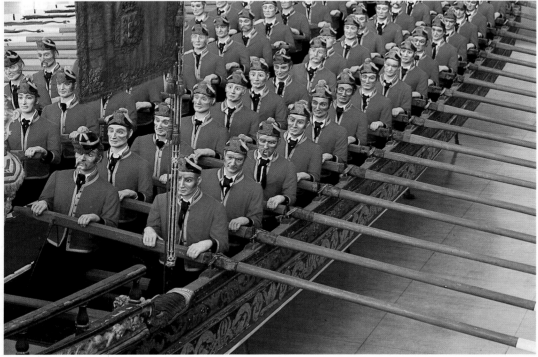

Musée de la Marine : le bergantin de João V et son armée de rameurs

bateaux de cérémonie datent des règnes de João V et de Maria Ia : bergantin et son armée de rameurs impassibles, tels des galériens, veste rouge et lavalière noire ; galiote bleue de la reine Maria, peinte par Pillement, à bord de laquelle Élisabeth II devait effectuer une promenade sur le Tage. Avec émotion vous découvrirez aussi les premiers appareils de l'aéronavale portugaise et l'hydravion *Santa Cruz* qui, piloté par Coutinho, réalisa, en 1922, la première traversée aérienne de l'Atlantique Sud.

Côté Tage, au pied du pont suspendu, le géant *padrão dos Descubrimentos* — monument des Découvertes — témoigne de la passion de Salazar pour les œuvres spectaculaires. Beaucoup plus humble, le musée d'art populaire trace le décor de la vie quotidienne du Portugal rural, et les objets familiers des paysans et des villageois, décorés de motifs naïfs, fleurs et cœurs, symboles des sentiments simples d'un peuple d'amoureux.

La tour de Belêm s'élevait autrefois au milieu du Tage. D. Manuel la fit construire pour garder l'entrée du passage, et aussi pour veiller lui-même, à l'occasion, sur les allées et venues des vaisseaux. Mais les sables apportés par le raz de marée de 1755 comblèrent la baie en cet endroit, de telle sorte qu'on peut y accéder aujourd'hui en empruntant une simple passerelle. Cette sentinelle à l'air exotique est considérée, sur le plan de l'art, comme le témoignage capital de la période manuéline. Pourtant, ses motifs décoratifs traduisent beaucoup plus une filiation marocaine que le goût du prince pour les formes particulières à l'Orient asiatique : l'architecte qu'on chargea de l'édifier venait tout droit de Marrakech, où il avait réalisé, en partie, la Koutoubia. Les échauguettes aux dômes côtelés, qui marquent les angles de l'enceinte hexagonale de la plate-forme, suffisent à en témoigner. Les balcons des trois étages de la tour sont en revanche ornés de chapiteaux manuélins, tandis que quadrilobes et croix du Christ décorent la loggia ouverte sur le fleuve. Quel paysa-

Dans le prolongement des Jéronimos, l'édifice ajouté au XIXᵉ siècle abrite le musée d'archéologie et d'ethnographie et, un peu plus loin, une partie de celui de la marine. Un nombre prodigieux de maquettes, de tapisseries, de figures de proue — dont la qualité de la facture vous fascinera — retracent les épisodes de l'aventure maritime et « coloniale » du petit pays, puisque même les guerres d'Afrique du début de ce siècle sont évoquées. Fragatas du Tage, rabelos du Douro content le rôle historique capital de la flotte marchande fluviale. Au fond de la galerie de l'étage, on a reconstitué les salons du fameux yacht *Amelia,* à bord duquel la famille royale prit, en octobre 1910, le chemin de l'exil... Par la galerie extérieure qui passe devant le moderne planétarium, vous accéderez à la **salle des Galiotes.** Les magnifiques

Devant la terrasse de la tour de Belêm : les étincelles du Tage

ge ! Mais observez bien la terrasse : les grilles marquent l'emplacement d'une fosse, moins épouvantable certes que celles du rez-de-chaussée : on y jetait les prisonniers enchaînés; la marée assurait le nettoyage. Alentour, les meurtrières, ouvertes comme des hublots de frégate, ont retrouvé bombardes et canons. Sur le fleuve glissent les fragatas aux voiles rousses, quelques rares gabares à voile blanche, traînent les barques des pêcheurs d'alose, filent les cargos au sillage d'argent dans des éclaboussures de lumière.

5

Arràbida, la belle

Caparica : l'œil de Dieu grand ouvert

Belle pêcheresse, à l'œil de Dieu grand ouvert. Avant d'être une montagne, c'est un cordon de ports, minuscules souvent, égrenés entre l'estuaire du Tage et celui du Sado, que la presqu'île, aux portes mêmes de la capitale. Caparica y fait exception par la dimension de sa grève longue de vingt kilomètres. Les proues relevées des barques, de plus en plus rares, n'intéressent guère les vacanciers avides d'autres soleils. Et le pêcheur doit choisir. La concurrence des ports mieux organisés, mieux abrités, mieux équipés que sont, face au sud, Setubal assurément, mais aussi **Sesimbra,** les y contraindrait d'ailleurs. L'importante flottille de Sesimbra débarque chaque matin sur la grève blanche sardines, thons et espadons, mais aussi les poissons-épées argentés, à la chair ferme, qu'on étale à même le sable ou qu'on fait sécher au soleil sur des claies, en rangs serrés.

L'originalité, Arràbida ne la doit pourtant pas à ses côtes, mais à sa montagne, haut relief plissé pointant ses cinq cents mètres au Formosinho dont la falaise dévale sous le maquis crépu jusqu'à l'anse en coquille de Portinho. A moins de quarante kilomètres de Lisbonne, le chaînon diffère totalement de la serra de Sintra : point de témoignage éruptif ici, mais des plissements calcaires ; la flore, méditerranéenne, n'est en rien comparable à celle des essences subtropicales de sa voisine.

Relief qui s'achève à l'ouest par une cassure sur l'Océan, à cent mètres au-dessus des flots, le cap Espichel évoque en sa falaise le cabo da Roca et le cap Saint-Vincent. Il fut, de haute Antiquité, un lieu sacré. Du côté de l'est, les reliefs s'étouffent en une succession de bosses ; au sommet de l'une d'elles, presque à l'extrémité du chaînon, Palmela observe, des créneaux du castelo qui fut siège de l'ordre de São Tiago, les plateaux démesurés des moissons : l'Alentejo, aux portes mêmes de la serra !

Retour de pêche à Sesimbra

La route de Lisbonne à Sesimbra abandonne l'autoroute pour percer le *pinhal* (la pinède) d'Aroeira après avoir pris grand soin d'éviter les plages encombrées, surchauffées, de Costa da Caparica. Elle pénètre dans la forêt odorante, immense, creusée de quelques fosses : dans celle d'Albufeira, à l'ouest, la *lagoa* (la lagune) n'est guère fréquentée que par les pêcheurs de carpes, les chasseurs de canards sauvages, les cigognes attirées par le coassement des grenouilles.

Ne vous précipitez pas sur Sesimbra : au terme d'un plateau sans arbre et presque sans vigne, le vent murmure au cap Espichel qu'il balaie. Terre des pèlerinages... On y vient chaque année, au mois d'octobre, depuis le XIIIe siècle, vénérer la Vierge des pêcheurs. Aperçue du promontoire, la flottille des barques minuscules dit la souffrance des hommes ; et la mer haute, la tragédie des combats engagés par toutes les flottes aux portes du goulet du Tage.

A trois cents mètres au-dessus du rivage, le castelo de Sesimbra veillait, fauve rempart crénelé à l'assaut de la colline dont il épouse le profil, jusqu'au donjon. De là-haut vous contemplerez à loisir, en plein soleil, le profond val où miroite la mer. L'enceinte abritait la ville more ; impassible et solitaire, l'église préromane témoigne de la Reconquête. Suivez le long développement du chemin de ronde, restauré en 1940. En bas, la ville de la Renaissance, aux ruelles en escalier, disparaît ici et là dès le mois de mai sous les voûtes des fleurs de papier qu'on y tend pour la fête des Chagas, et qu'on garde tout l'été pour maintenir la fraîcheur sur les places et dans les venelles où on viendra danser le soir. A l'extrémité de la grève, au pied du rocher, sardiniers et thoniers se pressent côte à côte pour permettre le garage des bateaux de plaisance. Car nombreux sont les amateurs de plongée sous-marine que la limpidité de la mer attire en ces parages.

Comment ne pas y rêver comme eux quand on contemple, du sommet de la serra, la crique bleue de **Portinho da Arràbida** ? La menace se faisait chaque année plus pressante des appétits de quelques-uns. En 1976, le parc national vit le jour ; son périmètre enserre non seulement la montagne et sa couverture forestière, mais encore les plages et la mer jusqu'à deux kilomètres du rivage. De la route supérieure, qui court quelques instants sur le fil même de la crête, l'abrupt dévale sur la combe du minuscule port de pêche. Dense, le tapis végétal dissimule les assises calcaires aux coloris vifs étagés du blanc laiteux à la gamme de tous les ocres et au rouge sang. Forêt ancienne, où dominent les essences méditerranéennes, pins et cyprès géants, lentisques et arbousiers, genévriers et chênes verts, myrtes et nopals en cierge, cistes et buissons de romarin... Le climat atlantique est indéniablement responsable de la taille exceptionnelle des plantes, chauffées, odorantes. Effluves enivrants alors que vient le soir. Creusée de grottes, qui furent refuges en des temps lointains, la serra était au Moyen Age territoire

Le maquis crépu dévale jusqu'à l'anse en coquille de Portinho da Arràbida

de chasse. Des solitaires, au XVIᵉ siècle, vinrent y chercher la paix. A flanc de colline, des cavernes, face au soleil, qu'ils occupèrent naquit le monastère − le *convento novo* − dont les bâtiments, groupés comme ceux d'un village, apparaissent aujourd'hui à mi-pente au milieu du bois touffu ; puis s'égrènent, parmi les chênes verts, les dômes des chapelles, les calvaires du chemin de croix jusqu'au faîte de la colline... La route supérieure contourne l'enclos, atteint la crête, qu'elle épouse. Au sud apparaît, au ras de l'eau bleue, la longue flèche de sable de Troia : les tours des immeubles ont brisé la virginité du site où sommeille Cetóbriga − ruines de la cité antique engloutie par un raz de marée au début du Vᵉ siècle. Sur la rive droite du nouvel estuaire **Setubal** allait voir le jour, en conservant le nom de l'ancêtre.

De la terrasse du castelo São Filipe − bâti par Philippe II d'Espagne pour intimider les Anglais − vous découvrirez tout le site du vaste port. Jusqu'à l'époque de la Renaissance, il végéta. Mais, à partir du XVᵉ siècle, il contribua au dégagement de Lisbonne dont il facilita l'épanouissement : la plaine est étroite au nord et la mer de Paille, abritée, permet d'accéder rapidement à la capitale. D. Manuel fait alors reconstruire les églises de la petite ville. Le chantier de celle du Jesus, c'est à Boytac, futur architecte des Jéronimos, qu'on le confie ; pour la première fois apparaît la colonne torse − évoquant les cordages des navires − qui allait devenir l'une des caractéristiques de l'art manuélin. Sur la place du pilori, l'originale église dépend d'un couvent devenu musée : les azulejos du cloître et la collection de primitifs − dont le magnifique ensemble qu'est le retable dû au « maître de Setubal » − constituent les principales richesses artistiques de la ville. Vous flânerez dans les rues commerçantes, pleines de charme, réservées aux piétons, du quartier ancien, entre l'église São Julião − manuéline et baroque − et la place de Graça : le porche de granit, sous la façade blanche, ouvre sur une nef tapissée d'azulejos ravissants. Riche Portugal des siècles où il était maître des mers... Si les départs et les retours des lourds vaisseaux chargés d'épices et d'étoffes n'animent plus les quais, l'importante flottille des sardiniers vaut à Setubal d'être toujours le troisième port de pêche du pays. Et le premier pour les conserveries − qu'il s'agisse de la viande ou du poisson − et encore pour l'élevage du naissain. Sur le port où les gamins nus, noirs comme des moriscos, plongent entre les bateaux rouge et jaune, les déchargeurs de sardines, aux grands chapeaux à bords recourbés, pour que l'eau des casiers disposés en équilibre sur la tête ne coule pas, ont presque tous disparu de la scène.

A l'église du Jesus de Setubal, la première colonne torse de l'Histoire

Disparus, les chapeaux à bords recourbés des déchargeurs de sardines

6

Gens du fleuve et du Sud

Sans mise à mort

A la portugaise : sans mise à mort. Et à cheval. A la fin du XVIIIe siècle, la reine Maria, qui assistait aux fêtes de Santarém, vit périr dans l'arène un des infants. La décision fut immédiate : le pays ne pouvait plus s'offrir le luxe d'engager la vie « des plus illustres de ses fils » dans les combats tauromachiques. Les seules épreuves désormais autorisées furent les *tentas* et les *ferras,* comme dans les villages de la basse vallée du Tage où les jeunes gens, de Pâques à la fin de l'été, éprouvent leur adresse. En juin et juillet, les deux grandes villes de Vila Fran-

ca et de Santarém s'offrent en spectacle. *Colete encarnado* − « gilet rouge », celui des campinos − de Vila Franca : ainsi baptise-t-on les fêtes d'été où lâchers de touros dans les rues, régates sur le fleuve et courses à la praça fournissent l'occasion de pantagruéliques festins de poissons du Tage, copieusement arrosés de branco seco. Sur l'arène ne toréent en principe que les propriétaires-éleveurs. Chevaux habiles, taureaux de race.

Car la plaine inondable, balayée de vents violents qui la couvrent des plus beaux ciels du Portugal, est d'abord le territoire des manades. Une Camargue atlantique, étirée sur cent kilomètres, à la porte même de Lisbonne. Naguère placés sous le contrôle de la puissante compagnie des Lezirias, les grands domaines ne sont « mouillés » que là où la marée, qui remonte très loin, pénètre. Monde de l'élevage et de la rizière. Si la pêche fluviale joue un rôle essentiel, le fleuve n'en demeure pas moins, aujourd'hui encore, la principale voie de circulation entre le Nord et le Sud : glissent en silence, poussées par le vent, par la marée, guidées par le courant, les gabares aux voiles blanches qui assurent le ravitaillement de la capitale.

La marée remonte le Tage,
où glisse toujours quelque lourde gabare

Gualdim Pais, grand maître de l'ordre des Templiers, se fait construire, sur la colline dominant le Nabão, la forteresse qu'il nomme, en 1190, **Tomar,** du nom de la rivière à l'époque de la domination musulmane. Gardienne du passage le plus rapide entre le Mondego et le Tage, elle est confiée aux moines-soldats, qui la conserveront deux cents ans. Mais dès la fin du XIIIᵉ siècle, on commence de reprocher aux ordres militaires d'enfouir des « trésors » dans leurs commanderies « en ruine ». De retentissants procès sont engagés. A Paris, en 1314, Philippe le Bel exige purement et simplement la tête des templiers. Clément V doit s'incliner. A Leiria, D. Dinis est prié d'emprisonner les soldats accusés de sorcellerie. En vérité, depuis que la Reconquête est achevée, ces hommes maintenus en armes ne présentent plus pour le royaume le même intérêt. On les juge gênants, voire suspects de fomenter des complots contre le souverain... Pourtant, D. Dinis est saisi d'un scrupule : les religieux-militaires ont mis en valeur les territoires qu'ils étaient chargés de contrôler. En 1379, il obtient de Jean XXII l'autorisation de remplacer l'ordre déchu par la milice du Christ. L'héritage est considérable ; d'abord établi en Algarve, l'ordre nouveau aura bientôt son siège à Tomar. Sa fortune est telle qu'elle va permettre de financer sans attendre l'entreprise d'Henri le Navigateur. L'infant est nommé gouverneur de l'Ordre : ses croix « ouvertes et rouges comme des blessures » timbreront les voiles des caravelles, « blanches comme les capes des moines-chevaliers ». Tomar bénéficie de la munificence royale. Isabel, épouse du roi Dinis, y organise des fêtes. Lors des défilés qui durent plusieurs jours − et dont la tradition s'est maintenue jusqu'à notre époque − les jeunes filles parcourent la cité, sur deux rangs, *tabuleiro* (plateau) de leur propre hauteur en équilibre sur la tête ; garni de fleurs et de feuillages, il est composé de pains empilés, qu'on est censé apporter aux pauvres.

Le spectacle dut séduire l'architecte : la munificence royale, la splendeur exotique de l'art l'exprime aussi. « Bouillonnante comme une écume, il traduit, écrit Paul Teyssier, le débordement de sève d'une ère tumultueuse. » A la fin du règne de D. Manuel (1521), João III va décider de transformer l'ordre militaire en simple communauté monastique. Avec elle s'achèvera le cycle prodigieux : des cloîtres classiques, à l'italienne, d'une beauté sévère sans doute, signeront, par leur rigueur, les années de la décadence.

Le couvent du Christ constitue de ce fait un véritable musée de l'architecture portugaise du XIIᵉ au XVIIᵉ siècle. Le vaisseau massif de l'église aux allures de château fort abrite une énigmatique chapelle en rotonde du XIIᵉ siècle, de type syriaque, qu'on retrouve à la mosquée d'Omar et au Saint-Sépulcre de Jérusalem. D. Manuel la fera décorer de stucs et de statues. Il fera agrandir la nef et ouvrir dans les murs du coro baixo trois extravagantes fenêtres. Celle de la grande façade (dont on aperçoit le couronnement en bas de la photo) symbolise la vitalité portugaise d'alors. Sous l'exubérante sculpture se dissimule l'influence exercée sur l'auteur par l'art mexicain et, comme à Batalha, par l'art hindou : la critique ne pouvait qu'y voir « une étrange préfiguration du baroque ». Cordages, algues nouées évoquent le théâtre de l'épopée : la mer et les expéditions armées par les chevaliers-voyageurs. Dans l'épaisseur de l'œil-de-bœuf les cordages retiennent les plis d'une voile gonflée.

Le spectacle de la fête des tabuleiros dut inspirer l'architecte de l'église manuéline de Tomar

Tout près de Tomar, sur les reliefs étranges creusés de grottes aux concrétions merveilleuses de la serra do Aire, trois pauvres bergers furent les témoins, le 13 mai 1917, d'une apparition. Tous les mois, à la même date, rigoureusement fidèle au rendez-vous, la Vierge revint. Le 13 octobre, cinq mois après sa première manifestation, jour pour jour, devant soixante-dix mille personnes rassemblées, elle parla à nouveau tandis que le soleil vacillait dans le ciel...

Mais revenons au 13 mai. Francisco, Jacinta et Lucia sont des gamins. Ils gardent les moutons, en jouant. Soudain, le ciel s'illumine. Dans les branches d'un chêne vert, le soleil brille. La «Vierge Marie» apparaît, et parle : elle leur confie un secret concernant la Première Guerre mondiale dans laquelle le Portugal vient de s'engager auprès des Alliés – ce que les gosses apprennent par elle, bien sûr – et surtout, elle évoque la prochaine révolution bolchevique. Rendez-vous fixé le 13 juin ! Terrorisés, les petits demandent aux parents de venir. A la date annoncée, la voix raconte. Le 13 juillet, curieux et incrédules arrivent. L'Église, alors, clame à «l'impos-

ture». Vient le 13ᵉ octobre. De nombreux membres du clergé sont présents. Il pleut. Tout à coup, l'averse s'interrompt. On replie les parapluies. Mais déjà le ciel s'est déchiré : dans le trou des nuages le soleil zigzague, vacille... Épouvante. La voix déclare qu'en Russie la révolution est imminente ; les chrétiens doivent s'unir.

Les enfants ont déjà été emprisonnés. Les représentants de l'Église se trouvent d'autant plus embarrassés que des milliers de personnes ont vu et entendu la même chose qu'eux. Mais aucun rendez-vous n'est donné par la voix. De fait, le 13 novembre, rien ne se produit. Mais il y a Saint-Pétersbourg. Enfermés, les enfants sont tenus au secret. Ils maintiennent leurs affirmations. En 1920, à quelques semaines d'intervalle, Francisco et Jacinta meurent. Lucia entre au couvent de Santa Cruz à Coimbra et se fait carmélite. En 1967, à l'occasion de l'année sainte, Pie VI lui rend visite, mettant ainsi un terme à une polémique qui continuait de l'opposer au docteur Salazar.

L'évêque de Leiria avait fait attendre treize ans son autorisation de célébrer le culte à Cova de Iria, où, dès 1925,

on avait entrepris la construction d'une basilique.

Depuis lors, le 12 et le 13 de chaque mois, **Fàtima** devient le théâtre de rassemblements qui atteignent parfois plusieurs centaines de milliers de personnes. Avant la procession aux flambeaux, le saint sacrement passe parmi les malades dont beaucoup ont franchi, à genoux, sous le soleil implacable, les six cents mètres de l'esplanade jusqu'à la façade du sanctuaire. Les groupes les plus nombreux viennent du nord du pays, souvent à pied, curé en tête, poussés par quelque force irrésistible, «cantiques aux lèvres, émouvants, écrit Yves Gandon, comme la foule qui allait se faire recenser en Judée». N'allez surtout pas imaginer que la révolution du 25 avril ait touché en quoi que ce soit au respect de cette tradition.

Dominé par la tour de soixante-cinq mètres de l'église que couronne une croix de verre illuminée le soir, l'immense monument incurvé témoigne d'une grande indigence architecturale. Qu'importe. Demain, le silence enveloppera à nouveau pour un mois le plateau aux buissons qui ne parlent plus, sinon au cœur de millions de croyants.

Avant la procession aux flambeaux, des centaines de pèlerins ont franchi à genoux l'esplanade de Fàtima

Le décor change ? La religion s'accroche : celle des champs. Geste de la peine et de la joie du Portugal éternel. Franchi le Tage, qui divise en deux la péninsule (*o têjo,* la coupure), le contraste est saisissant avec le Nord. Longtemps frontière historique, militaire, donc politique, le fleuve l'est resté dans les modes d'exploitation du sol. Héritage d'une tradition multiséculaire, la *latifundia* (la grande propriété) résulte de l'œuvre des colonisateurs que furent au Moyen Age les chevaliers des ordres religieux. Acquise au XIXᵉ siècle par la bourgeoisie, elle fut mise en blé : les lois du temps privilégiaient cette culture, et avec elle les nouveaux maîtres du sol. On sait de quelle remise en cause cela fait aujourd'hui l'objet.

Sous le ciel bleu clair, l'immense plaine brune et dorée reste vide ; six pour cent à peine des Portugais occupent

Accoutrées comme les paysannes d'Alentejo, les batteuses ont remplacé les ratinhos

le tiers du territoire national. Dans l'été torride, quand la température dépasse quarante degrés à l'ombre, la sieste accuse l'impression naturelle de ce désert. Mais à l'approche du crépuscule, mauve et rose, l'activité reprend et se poursuivra au clair de lune. En pleine nature, les *ratinhos,* ouvriers agricoles venus d'un peu partout, dormiront, vers minuit, à la belle étoile.

Vide, la campagne alentejane ne l'est pourtant que de façon illusoire. Il y a un siècle, vous n'y auriez trouvé rien d'autre que des jachères, des tapis de broussailles, parcourus par ces éternels « errants des solitudes » que sont les troupeaux et les gitans. Chercheurs de filles et querelleurs, on redoute toujours leur venue, accompagnée d'incendies de granges et de vols de chevaux. On va même jusqu'à les confondre avec les pauvres ratinhos... En longs cortèges, les ouvriers saisonniers parcourent les routes du pays dès le mois de juin pour prêter leurs bras aux métayers du campo à céréales, ponctué d'oliviers, qui a chassé le matorral d'autrefois. Ouvriers, ou plutôt ouvrières aujourd'hui (les hommes vont travailler de plus en plus à l'étranger), qui ont adopté l'accoutrement des paysannes de l'Alentejo, chapeau de feutre noir posé d'aplomb sur le fichu noir ou blanc qui recouvre la tête et les épaules pour protéger gorge et cou des insectes.

Pays d'errance que ces immensités. D'autant plus que le maintien de la vie pastorale est nécessaire à leur équilibre ; on ne peut pratiquer de culture qu'en effectuant l'assolement deux années sur trois, d'où le nombre élevé des troupeaux. Moutons et chèvres, mais porcs noirs surtout, qu'il n'est pas rare de rencontrer en bande de dix mille têtes, à l'ombre des chênes dont ils dévorent les glands et les truffes blanches. En plein soleil, du bord de la route les observe le berger étrangement vêtu, épaules couvertes de l'ample chasuble qu'est la *samarra,* mollets protégés par des jambières de cuir, les *safões,* comme celles des gardians de

Les deux pinces redoutables du castelo d'Arraiolos

l'estuaire du Tage. La moitié du cheptel porcin portugais est d'Alentejo ; dans la pénombre des salles du monte, jambons et saucisses accrochés aux poutres attendent le mois du battage au fléau.

Civilisation rurale qui n'en demeure pas moins une civilisation villageoise. Le bourg blanc s'accroche à la colline, en plein ciel, quelquefois gardé par le château : **Arraiolos** en offre l'exemple. Sur la route de l'Espagne à la mer de Paille, voie d'invasion rapide et donc bien gardée, le castelo a l'air redoutable. Les deux bras de l'enceinte cir-

A Campo Maior, le cimetière s'achève
à la voûte de la chapelle

imprégnées de la tradition hispano-mauresque, vont progressivement s'effacer au bénéfice des coloris plus vifs, proches de ceux qu'offrent les modèles persiques et indiens. Mais l'interprétation des thèmes populaires, dont la naïveté charme les cœurs, est respectée par les interprètes des cartons.

Prenons la route d'Espagne, frangée d'autres sites forts. Apparaît bientôt, au sommet d'une sèche colline, le donjon fauve d'Estremoz couronnant le vieux quartier, tandis qu'en contrebas s'étire la ville des siècles classiques, toute blanche, enserrée dans des fortifications à la Vauban. Au pied du donjon, la pousada occupe le rez-de-chaussée de l'ancien palais de D. Dinis. Derrière, dans une chambre transformée depuis en chapelle, serait morte Isabel, sa femme. Les azulejos illustrent les épisodes de la vie de la « reine sainte », en particulier le célèbre miracle des roses. Mais ne traversez pas la ville basse sans visiter le musée de l'Alentejo pour son originale collection de poteries.

Voie royale que cette vallée : le marbre y affleure sous les oliviers, les figuiers, les pruniers, en telle abondance que la proche Borba a pavé une de ses rues du luxueux matériau. En marbre aussi est réalisée l'immense façade du palais de Vila Viçosa. Dressée devant un parc (viçoso signifie verdoyant) qui fut réserve royale de chasse, la demeure accueille, à partir de 1640, les fréquents séjours de la cour des Bragance. Au XIXe siècle, le domaine devient même la résidence principale de la monarchie ; les collections du palais, que la République a transformé en musée, retracent de façon émouvante la vie de la famille dont le roi D. Carlos, peintre de talent, fut le dernier représentant officiel. C'est ici qu'il passa, en 1908, sa dernière nuit. A l'autre extrémité du village, vous irez vous égarer dans l'ancien bourg que clôt l'enceinte du castelo médiéval, et vous admirerez les azulejos du XVIIIe siècle qui décorent l'église.

culaire, qui se rapprochent comme les pinces d'un crabe, furent imaginés par Nuno Alvares au XIVe siècle pour effrayer le Castillan. Dans l'enceinte, on a restauré le donjon où vécut le jeune connétable. Quel plaisir n'éprouve-t-on pas à faire le tour du chemin de ronde ! Le village aux cubes blancs sous les toits rouges, les ruelles jolies, au pavé luisant à peine saillant, les façades des maisons basses bariolées de parements outremer, les moulins sur les collines, les oliviers à perte de vue disent la vocation pastorale du campo. De l'élevage du mouton allait naître, au Moyen Age, l'industrie du tapis, dont les relations avec l'Orient, au XVIe siècle, favoriseront la prospérité. Les tonalités bleues d'alors, encore tout

Au milieu des vergers, Elvas, « dernier verrou du territoire » face à la bastide espagnole de Badajoz, accroche à sa butte un ample corset de remparts du XVIIᵉ siècle. Des forts jalonnent les hauteurs voisines : l'un d'eux, Santa Luzia, abrite une pousada. Le colossal viaduc d'Amoreira, à quatre étages d'arcades, s'envole à trente mètres dès l'arrivée en ville; entrepris à l'époque de la Renaissance, il ne fut achevé que sous le règne de Philippe III d'Espagne. Son déploiement de sept kilomètres, ses huit cents arches évoquent les ouvrages des Romains. Dans la ville haute, le largo de Santa Clara a conservé son pilori manuélin à crochets, une arcade more, vestige des fortifications médiévales, une chapelle octogonale à la coupole tapissée d'azulejos.

Par les plateaux sévères et ventés du Nord, où court la route sans frontière, on atteint vite les reliefs de São Mamede. Assise sur ses contreforts couverts de vergers, Portalegre tisse des tapis; étalée en plein soleil, elle tourne le dos au profond corridor par lequel se faufilèrent au Portugal les conquérants venus d'Espagne. Un nid d'aigle contrôle le passage : Marvão, à huit cents mètres, ancienne Herminius Minor des Luso-Romains, offre de ses remparts bastionnés par Philippe II un panorama immense. A l'occident se dessine la silhouette de Castelo de Vide qui a conservé, au pied de sa forteresse rousse, une judiaria blanche, comme en Andalousie.

Proche d'Elvas, **Campo Maior** gardait aussi la frontière, mais le castelo vous intéressera moins que l'église dont les murs d'une chapelle sont recouverts, non point d'azulejos, mais d'ossements et de crânes. On verra d'autres témoignages de ce culte des morts dans l'impressionnante capela dos Ossos d'Evora, et à Faro, dans celle du Carmo.

Au sud d'Estremoz, un village de rêve couronne la butte d'Evoramonte. En plein silence. A cinq cents mètres au-dessus du vallon où file la route

d'Evora, le donjon roux aux courtines décorées de cordages blancs en forme de nœuds – témoin de la restauration effectuée par João III à la suite du tremblement de terre qui avait détruit l'alcáçova more – commande un paysage de collines bocagères. Aux pins, aux oliviers, aux chênes verts se mêlent des plantations de chênes-lièges. Car l'essentiel des ressources de l'Alentejo ne provient ni du blé, ni de l'élevage, mais de l'arboriculture : les deux tiers du liège consommé dans le monde viennent du Portugal. Le démasclage a lieu à la saison sèche, période durant laquelle l'écorce se détache bien. Lourdement chargés, les camions en convoi prendront la route de Setubal dès la venue de l'été.

Les deux tiers du liège du monde viennent de l'Alentejo

Cathédrale d'Evora : la Vierge enceinte

Evora, ville essentielle, métropole du Sud. Dans l'Alentejo, où l'agriculture et les modes d'exploitation du sol commandent toute forme de vie, la capitale de région est d'abord le chef-lieu d'une circonscription rurale. A partir de 1975, lorsqu'on commença de débattre sérieusement du problème agraire, le ton monta ici plus qu'ailleurs. De toute la province accoururent les paysans réclamant leur dû, la terre, et la liberté de la travailler et de l'exploiter. Durant l'été 77, lorsque la loi Barreto menaça de remettre en cause ce que le gouvernement avait jusque-là préconisé, les fresques, vigoureuses et cinglantes, bariolèrent les murs de la ville, blanche sous le soleil.

Le nom explosait dans le monde entier, Evora sortait enfin de l'ombre. Reléguée à la modeste fonction de marché provincial depuis le départ des jésuites au XVIIIᵉ siècle, la ville-à-la-campagne se fit citadelle de la contestation paysanne. Mais sa vie traditionnelle fut amoureusement épargnée. Dans les ruelles, derrière la haute enceinte, dans

les faubourgs s'activent les menuisiers qui confectionnent les meubles en peuplier ou en bois de saule qu'on laquera de blanc et qu'on décorera de brillants motifs floraux ; les tanneurs, les tapissiers, les artisans du liège et la foule des petites gens qui préparent les salaisons pour l'exportation.

Un artisanat de tradition paysanne dans une ville d'histoire. L'ensemble monumental en fait la cité témoin d'une période essentielle du passé politique et culturel du Portugal, véritable musée de l'architecture – et de l'art décoratif – de la Renaissance à l'âge baroque : dans la cathédrale gothique où œuvra Chanterene, la Vierge enceinte, polychrome, antérieure à la venue des artistes appelés à la cour des humanistes, ne dépare pas la niche baroque dans laquelle la fit placer l'inquisiteur – directeur des consciences et du collège du Saint-Esprit – soutenu par les trois Philippe d'Espagne.

La ville des souverains de la Renaissance et des beaux esprits fut aussi celle d'une école toute-puissante ; en 1551,

Vent de liberté... La fresque demande, pour le paysan, celle de travailler la terre

A l'Université des jésuites, la plus prodigieuse collection d'azulejos du Portugal

João III, qui vit à Evora dont il occupe le palais (ce qui subsiste du monument apparaît aujourd'hui dans un beau parc à la limite du rempart), fonde le fameux collège dont il s'empresse de confier la direction aux jésuites. Dans l'Université bientôt instituée, la compagnie de Jésus, appuyée par l'Inquisition et par les évêques, va prêcher, deux siècles durant, la Contre-Réforme. Richissime édifice que ce vaste bâtiment dont l'aspect sévère dissimule la somptuosité du décor, bois sculptés, plafonds peints en trompe l'œil, marbres, azulejos surtout. Les panneaux couvrent tous les murs, des couloirs, des escaliers, des salles de cours, des réfectoires, des chapelles, des cloîtres..., composant la collection la plus impressionnante, et de loin, du Portugal. La plus passionnante aussi, pour la qualité de l'œuvre. Tableaux de chasse, allégories, scènes bibliques, fêtes galantes en disent long sur le talent des jésuites en matière d'éducation ; mais les thèmes « sérieux » ne sont pas absents : la rhétorique, la mythologie, l'histoire religieuse, les sciences ornent de

Teintée de rose par le soir, l'immaculée chapelle de Guadaloupe

A la corniche de la façade de Graça, les jambes des atlas pendent dans le vide. Tout au fond de l'église São Francisco, les crânes et les ossements de plus de cinq milles personnes tapissent la voûte et les murs d'une chapelle. Hors les murs, l'ermitage de São Bras (saint Blaise) a plutôt l'air d'une forteresse pour rire avec ses créneaux, son porche à tourelle et ses colonnes coiffées en poivrière qui font le tour de la toiture. Non, ne vous pressez pas trop de quitter Evora. Comme cette église étrange, l'aqueduc de Porta Nova date de la Renaissance. Sous l'une des arches, à deux kilomètres du rempart, passe la route d'Arraiolos qui conduit au couvent de São Bento de Castris, au charmant cloître blanc dont les arcades géminées outrepassées vous intrigueront. Frei Carlos fut prieur du couvent de l'Espinheiro, au nord de la ville; artiste peintre de talent, ses œuvres ont rejoint les salles des primitifs au musée d'art ancien de Lisbonne. Resende put les admirer lors du séjour forcé que lui imposèrent en ce lieu les inquisiteurs...

D'Evora, les chemins rayonnent à travers la plaine des moissons; l'un d'eux,

L'ombre de Mariana Alcoforado au couvent de Beja

en direction de Beja, rencontre la charmante ville blanche de Viana do Alentejo. En costume, les paysannes trottent sur le pavé luisant, cruches peintes posées d'aplomb sur le chef enveloppé d'un fichu. Pénétrez dans l'enceinte du castelo: la nef romane de l'église qu'il abrite dit le message des mosquées; et le portail manuélin, décoré de sphères armillaires, de colonnes torses et d'une croix du Christ au tympan, celui de l'aventure manuéline.

Vous serez peut-être tenté de préférer la route de l'est, celle de la médié-

vale Monsaraz et de Moura. Au pied de l'épais castelo de la station thermale de Moura, les ruelles de la ville arabe grouillent d'une vie sympathique, à l'approche du soir surtout, quand s'allongent, sur les façades des maisons basses blanchies à la chaux, les ombres des grosses cheminées ajourées.

Au bout du damier des champs multicolores, Serpa apparaît bientôt, blanche dans sa rousse muraille romane. Voisine, la pousada de São Gens commande d'une terrasse l'ample horizon de la plaine des oliviers, face à la chapelle solitaire de **Guadaloupe** « aux murs d'un blanc de velours que le soir teinte d'un rose ardent », écrit Suzanne Chantal. Poussez donc la porte pour contempler la coupole arabe.

Franchi le paresseux Guadiana, **Beja** se dresse, face à l'Espagne dont elle surveille le passage de la route. L'ancienne Pax Julia romaine est aujourd'hui la capitale de l'Alentejo du Sud, c'est-à-dire le gros marché de l'huile et du blé portugais. Le musée d'histoire et d'art y occupe, au sommet de la colline, la chapelle, l'étage et le cloître de l'ancien couvent de la Conceição où le comte de Chamilly, en garnison dans la ville pendant la guerre de Dévolution (1667-68), rencontra Mariana Alcoforado. Bien peu de souvenirs demeurent de l'aventure galante, si ce n'est la fenêtre grillagée – déplacée lors de la démolition de la partie du couvent où elle se trouvait – au travers de laquelle les deux jeunes gens s'entretenaient. Du moins dans la légende, car l'énigme demeure: la religieuse fut-elle bien l'auteur des *Lettres portugaises* dont la « traduction » vit le jour après le retour en France de l'officier de Louis XV? La flamme des messages, rapidement mise en doute par les cercles littéraires du temps, n'allait trouver quelque crédit qu'à l'époque romantique, à la faveur des guerres napoléoniennes. De sa cellule, «la pauvre fille illettrée, cloîtrée dans une province perdue», contemple la campagne immense des moissons. Elle rêve... Lointaine apparaît, dit-elle, la ville de Mértola. Qui oserait la croire ?

De son éperon, de son donjon crénelé, Beja n'en continue pas moins de commander l'horizon sans limites des blés. En dépit de la transformation des structures de la campagne au cours des années 1830-1840, et de la remise en cause, aujourd'hui à l'ordre du jour, de la répartition et de l'attribution des terres, le paysage fondamental de l'Alentejo ne changera pas de sitôt. Trois types d'exploitation le caractérisent : le montado, le campo et le monte.

Dans le premier cas, il s'agit d'une association élevage-blé-arboriculture : le sol labouré sous les arbres est mis en blé une année sur trois ; le reste du temps, on l'abandonne au pacage des porcs. Dans le campo – le champ nu des plateaux aux amples horizons –, la monoculture du blé n'est possible que si la terre se repose, ici encore, deux ans sur trois. Les fermes utilisent un matériel perfectionné, comme en Ukraine ou aux États-Unis. Dans la région de Beja, une usine construit, sous licence américaine, de géantes moissonneuses-batteuses.

Au centre du domaine, le monte –

En plein cœur des jachères, le monte, telle la villa romaine ferme, village, atelier, usine, dortoir tout à la fois – accueille l'été un nombre important d'ouvriers saisonniers qui s'en retournent, la besogne achevée, dans le Nord où ils participeront aux vendanges. Le monte n'est pas, nécessairement, une petite agglomération de bâtiments. Sa taille surprendra d'autant plus qu'il occupe, comme son nom l'indique, le sommet d'une colline. Autour de la résidence du maître – parfois simple pied-à-terre, car le propriétaire loge au village, dont il est le notable – se répartissent les bâtiments d'exploitation, forge, menuiserie, ateliers de réparation, logements et dortoirs des ratinhos, réfectoires, étables. A partir de juin, la ferme accueille des dizaines de familles qui y vivent en totale autarcie, « avec leurs charrons, leurs ter-

rassiers, leurs forgerons, leurs mécaniciens, leurs laitières, leurs porchers, leurs écorceurs, leurs bataillons d'émondeuses et de manieurs de faux » (S. Chantal). N'est-ce pas la structure même de la villa romaine ? L'organisation exige que tout se fasse sur place, y compris le pain. L'hiver, les femmes préparent les charcuteries qui nourriront, l'été venu, tous ces gens; elles fabriquent aussi les *tarros* (seaux de liège) où on conservera la soupe au chaud, et au frais le *gaspacho*. Regardez bien la rue du village blanc, témoignage de la colonisation des terres, de fondation ancienne, et toujours impeccablement tenu. Maisons basses alignées sagement au long de la rue pavée, vide dès onze heures du matin, avec leurs cheminées apparemment toutes semblables, quelquefois ajourées comme en Algarve. Plusieurs fois par an les murs sont blanchis à la chaux vive, tandis que fenêtres et portes sont badigeonnées d'encadrements de couleur. Sauf l'église, dont on prend grand soin de respecter les appareillages du portail roman et des ouvertures manuélines ou baroques. On est aussi méticuleux du mobilier et de la vaisselle qu'on est coquet de sa façade ou de son jardin, toujours fleuri. Les lits, les commodes, les tables aux tonalités claires s'égaient de fleurs aux coloris des champs, de scènes de la vie quotidienne, ou du cœur pointu de la tendresse. Le goût de l'Alentejano pour les poteries décorées, c'est surtout au musée d'Estremoz que vous aurez l'occasion de l'apprécier, à moins de vous trouver dans un village un jour de marché. Les cruches en terre, les plats aux dessins de feuillages stylisés témoignent de l'habileté de l'artisan qui conserve toujours présente à l'esprit la valeur pratique des objets : le pot doit tenir en équilibre sur la tête ! Mais le décorateur d'Estremoz s'applique davantage encore quand il s'agit de façonner les figurines en terre cuite, véritables petits santons, d'une fraîcheur naïve imitée des œuvres réalisées dans le bois de saule par les bergers.

C'est le printemps : tout le village est passé au badigeon

Impeccable, le long cortège des maisons sur la rue pavée

Le cœur toujours, même au fond de l'assiette de soupe

7

L'Algarve

Coucher dramatique au bout de l'Europe

Pour les Grecs, ce **cap Sacré** – dont Sagres conserve la mémoire –, le *promontorium sacrum* des Anciens qui reçut au IVe siècle la dépouille de saint Vincent rejetée au rivage, faisait déjà figure de proue du monde sur la mer ténébreuse : n'y voyait-on pas le soleil, à son coucher, cent fois plus grand qu'ailleurs, et ne percevait-on pas, dans le fracas des vagues, le bruit de l'astre s'éteignant dans les flots ? Ici, selon Artemidon, les dieux venaient se reposer la nuit des travaux du jour. Un désert que cette lande horizontale et immense,

brisée net à l'ouest par une cassure. En la pointe avancée vers l'Infini, où l'Europe continue de s'interroger sur l'engloutissement présumé de l'Atlantide, l'infant Henri s'entoura durant quarante ans (1420-1460) d'une armée de savants – astrologues, cartographes, mathématiciens – et de pilotes pour dresser les plans de la conquête maritime du monde. Certes, l'homme lucide allait-il mourir dans le doute, méditant devant le coucher dramatique du jour. Mais de la conjugaison des travaux de sa cour de Maltais, de Dalmates, de Vénitiens allaient naître, par-delà l'épopée de la conquête océane, la navigation astronomique, les cartes marines et cette nef légère qu'on appellerait bientôt caravelle.

Le chrétien n'en vivait pas moins dans la hantise des contes mythologiques. Les tempêtes rejetaient en ces lieux les naufragés : le dessein réel de l'infant visionnaire n'était-il pas de les interroger, pour leur arracher quelque secret ? Rapidement payé de sa peine, il le fut, au demeurant, puisque dès 1420 Madère entrait dans le giron du royaume.

Homme de la Renaissance, « le Navigateur », fidèle à la culture religieuse qu'il avait acquise du Moyen Age, fut

aussi l'homme de la croisade contre l'Islam. Commandeur de l'ordre du Christ, son entreprise aurait échoué s'il n'avait reçu l'aide matérielle et financière de celui-ci. A son rêve de croi-

L'Atlantide s'est engloutie au pied de la falaise de Sagres

sade sa pensée associait une solide intention de profit ; la curiosité scientifique, le besoin de connaissance qui l'animaient n'étaient pas totalement désintéressés, car il entendait bien parvenir, par ses explorations, à la source de l'or africain, barrant ainsi la route aux commerçants arabes. Ajoutons qu'il lui fallait bien, un jour, rembourser la dette contractée envers l'Église.

Ainsi se présente notre premier contact avec l'Algarve, l'El Gharb — c'est-à-dire l'Occident — des Mores, royaume occupé par eux jusqu'au milieu du XIIIᵉ siècle. Il englobait le Maroc, avec lequel la province conserve des affinités intellectuelles et humaines.

Dans un vacarme ahurissant, la mer se jette sur le promontoire de Sagres, creusé d'énormes cheminées naturelles, les *furnas*. Tout le littoral, jusqu'à Faro, est frangé de rochers déchiquetés, forés de grottes. A travers le plateau balayé par un vent violent où rien ne pousse, la route s'en écarte vite. Viennent les asphodèles, puis les géraniums, puis les premiers figuiers rampant au sol derrière les murets de pierre sèche, enfin les amandiers, sur les terrasses... Avec

De délicieuses et coquettes confiseries en pâte d'amande

eux apparaît la quinta blanche du paysan, dessinée sur le profil bleu de Monchique : la serra algarvia, qui dépasse neuf cents mètres au signal de Fóia, barre au nord tout le décor de la province ; si elle la protège des vents d'Alentejo, elle reçoit aussi les pluies atlantiques. D'où la densité de sa couverture végétale et le nombre important de ses lacs, de ses cascades, de ses rivières. Sur l'amphithéâtre des collines calcaires étagées à son pied, les Arabes édifièrent les premiers barrages pour dériver les cours, ouvrant en même temps une multitude de canaux d'irrigation ; dans les vallons fleurirent les cultures. On connaît la prédilection des musulmans pour les vergers. Dès le Moyen Age, l'Algarve est un vaste jardin où prédomine l'arbre : figuier, oranger, citronnier, amandier dont les fruits permettent la fabrication de délicieuses confiseries que travaillent d'habiles pâtissiers, avec ce goût de la couleur et ce sens de la coquetterie qui égaient tant d'humbles vitrines. On élève aussi, là où le maquis est dense, des abeilles. A partir du XIVᵉ siècle apparaît le chêne-liège, introduit par les chrétiens, et beaucoup plus tard l'olivier, tandis que les bois de châtaigniers s'établissent sur les hauteurs. Dans la colline, le potager en terrasse, amoureusement entretenu, permettra, dès avril, l'approvisionnement des marchés colorés et bruyants des jeunes stations du littoral. Le climat subtropical allait favoriser, en outre, à partir du XVIᵉ siècle, l'adaptation des plantes africaines et américaines dont on venait de faire la découverte : l'arachide, le coton, la canne à sucre, le bananier, l'ananas même entraînèrent une diversification de l'arboriculture existante. On créa des plantations. Les chemins y furent tracés pour le passage des charrettes bariolées des

Fauves rochers de Ponta da Piedade

Pour mûrir, les melons prennent un bain de soleil

maraîchers, cahotant vers le village entre les quintas blanches
enfouies sous les fleurs, où les melons continuent de mûrir
au soleil, à la corniche des toits de tuiles claires.

Le village : comme en Andalousie, la civilisation de
l'Algarve demeure une civilisation villageoise. Maisons étin-
celantes de blancheur, couronnées par une foule de bijoux
− ces cheminées travaillées comme des œuvres d'orfèvrerie −, aux terrasses et aux arcades dont elles ont conservé
le style mauresque, aux patios fleuris. Fleurs qu'on retrouve
partout puisqu'elles décorent les poteries, les carrioles, les
friandises. Elles illuminent toutes les saisons : dès Noël, la

A qui la plus belle des cheminées blanches, œuvrées comme des guipures ?

floraison de l'amandier annonce l'approche du printemps ; en janvier, la neige que répand le voile de ses pétales sous la brise tiède parfume le verger où déjà pointe le vert tendre du froment ; en mars explosent tous les roses, les mauves, les ors...

Les rochers roux au bord de la mer cachent toujours des ports. Sardine et thon approvisionnent d'importantes conserveries mais, pour l'Algarvio, la pêche ne constitue qu'un appoint de ressources ; elle lui permettra d'acquérir un lopin de terre où, dans la colline, il bâtira la maison blanche qu'entourera le potager. Quoi qu'on veuille, ce pêcheur restera toujours un homme de sa campagne. La luminosité constante sur le rivage, la splendeur des sites et la coloration des fantastiques rochers, égrenés comme des chapelets de Sagres à la banlieue de Faro, ont fourni à l'Algarve l'occasion de se rajeunir encore. Contrairement à ce qu'on a parfois dénoncé, « l'urbanisation des loisirs » n'a pas causé de bien grands dommages. Au contraire même, les réalisations hôtelières sont souvent des réussites. Le style s'inspire de l'architecture régionale traditionnelle : loggias, cheminées ajourées comme des guipures se teintent de rose le soir, mettant en évidence le flamboiement des falaises. Dressés au-dessus des rochers illuminés comme des torches, les villages indigènes laissent souvent l'impression de ne pouvoir être abordés que par la mer. L'Histoire apporte une explication : les navigateurs et les négociants de l'Antiquité avaient fait, des havres rencontrés, des comptoirs. A Lagos, par exemple, les Phéniciens vinrent proposer aux Lusita-

niens l'ambre et l'ivoire de l'Orient asiatique. Lorsque Annibal fonda Portimão (Portus annibalis), la région était déjà prospère. On n'en recherchait pas moins les sites un peu éloignés de la côte, à l'abri ; Milreu, au-dessus de Faro, en offre l'image, comme ce sera plus tard le cas de Chelb (Silves), bientôt capitale des Arabes d'Algarve.

Grâce à l'entreprise d'Henri le Navigateur, les ports se réveillent, enfantent de grands capitaines, tel Gil Eanes, fils de Lagos. Au XVIIe siècle, les richesses accumulées tenteront les corsaires, mais les Barbaresques préféreront trafiquer : Albufeira et Tavira leur doivent la prospérité retrouvée.

Chemin faisant vous arrivez devant Lagos, la *Lacóbriga* des Anciens, dont la rade fut ensablée au XVIIIe siècle par un raz de marée. Le sable rapprocha du rivage − si l'on peut dire − les rochers ocre de **Ponta da Piedade,** site spectaculaire quand on le contemple du rebord de la falaise, mais aussi depuis la plage. Les arches enjambent la mer d'émeraude qui s'engouffre par gros temps dans les tunnels, se précipitent dans les grottes qui communiquent entre elles ; lorsque l'océan est sage, vous éprouverez la joie de découvertes féeriques en vous y promenant en barque.

Voici Lagos, patrie de Gil Eanes l'aventurier qui le premier doubla le cap Bojador (1434), et où s'embarqua la lamentable expédition du roi Sebastião pour aller essuyer la catastrophe d'Alcazarquivir (1578). Les corsaires devaient fréquenter cette rade, mais aussi les trafiquants d'esclaves dont le marché, sur la praça da República, a été restauré après le

La falaise de Ponta da Piedade

tremblement de terre. Aujourd'hui, si le port demeure actif, Lagos est surtout une ville de vacances, réputée pour ses régates. Dans le corset des remparts, la ville ancienne abrite un prodige de décoration baroque, la capela de Santo Antônio, que voisine un musée ethnographique et archéologique.

Jusqu'à Portimão, la côte est jalonnée d'hôtels modernes. Proche des ruines romaines d'Abidaca, Alvor, l'Albur des Arabes bâtie sur le site de Portus Annibalis, annonce le voisinage du débouché de Chelb, le rio Arade. Une route littorale y conduit, desservant les villages d'été et les hôtels de luxe disséminés autour de Três Irmãos, puis Praia da Rocha où nous reviendrons après avoir visité Silves.

Capitale du royaume more de l'Occident ibérique, la ville ne fut reprise aux Arabes que cent ans après Lisbonne. Foyer artistique et culturel, animé par les sages et les poètes, Chelb perdit alors ses vingt mosquées ; à peine maîtres des lieux, les chrétiens les rasèrent toutes. Mais ils prirent bien garde d'abattre **le château de Silves,** redoutable al Hamra − la citadelle rouge, comme à Grenade − dont l'appareil

L'Alhambra de Chelb (Silves), citadelle de la capitale musulmane

La bataille d'Ourique se déroula-t-elle près de Castro Verde ?

de grès, fauve ou mauve selon l'éclairage, se dresse au sommet de la colline qu'enserrent deux rivières. Du chemin de ronde, restauré par les architectes de Salazar, on découvre toujours la *horta* découpée par les canaux d'irrigation où les cultures maraîchères tachettent le paysage des vergers, comme au temps de l'occupation musulmane : figuiers, mandariniers, amandiers, caroubiers aussi dont on utilise, comme jadis, la fève pour la fabrication des cosmétiques. A l'intérieur de l'enceinte, le dense jardin de lauriers-roses et de mimosas ombre les citernes du Xe siècle. L'une d'elles, profonde de soixante mètres et communiquant avec les souterrains, était encore en service en 1920. Au pied du rempart, côté ville, la nef de la cathédrale-nécropole gothique est toute dallée de tombes armoriées ; on suppose qu'il s'agit des sépultures des chevaliers croisés tombés lors de l'assaut livré à la citadelle en 1249.

Épaisse, la serra Algarvia dresse au nord de la ville le rempart qui isole toujours la province du reste du Portugal. Responsable de l'originalité humaine et de la préservation, à travers les âges, des modes de vie du Sud, elle s'achève vers l'ouest par le relief original de Monchique. Les formations éruptives y expliquent la présence de sources chaudes, ces *caldas* appréciées des rhumatisants depuis l'Antiquité. Jardins de camélias et de rhododendrons, bois touffus et potagers arrosés par les pluies océaniques, mais aussi exposés au chaud soleil, entourent la petite ville de Monchique, porte de l'immense plateau vallonné, planté d'eucalyptus, où s'engage la route de l'Alentejo.

Filant droit dans la plaine, la nationale d'Aljustrel à Faro traverse Castro Verde. Proche du lieu présumé de **la bataille d'Ourique,** qui permit à Afonso Henriques en remportant sa première victoire sur les Mores (1139) de se faire reconnaître roi, vous y découvrirez, dans l'église da Conceição, les panneaux d'azulejos, exécutés au XVIIe siècle, qui représentent les scènes du combat. Mais la situation même du terrain de l'affrontement, très méridionale, demeure sujette à discussion. Pourtant, au sud de la petite ville, un bourg porte toujours le nom d'Ourique et, sur la rive nord du lac

A la foire, un bon choix de houppes à pompons de laine pour la mule

réservoir de Santa Clara, le castro de Cola, ouvrage luso-romain, laisse planer l'équivoque : une muraille haute de cinq à six mètres entoure la longue forteresse. Voilà un témoignage rare, en tout cas, de la recherche par les Anciens de voies de pénétration vers le nord du pays. Ils avaient donc franchi l'énorme serra désertique dont le miradouro de Caldeirão, en bordure même de la route, vous offrira une image panoramique : des collines à perte de vue, plantées de pins clairsemés, sans un chemin, sans une âme.

Par Loulé, étagée en amphithéâtre, loin de la côte encore, on retrouve l'Arade et son port, sur l'estuaire. Gros marché rural à dire vrai que Portimão, auquel les conserveries de sardines ont redonné vie. Pour atteindre les plages les services de calèches y ont été maintenus à l'intention des touristes, petites carrioles à deux places sous la bâche, tirées par la mule gaillarde au harnais peint de couleurs vives, grelots au vent et houppe dansante aux pompons de laine. Comme à la campagne où, devant des échafaudages de paniers, les mène rudement le paysan toujours debout.

Les rochers colorés de **Praia da Rocha** – station balnéaire voisine animée du commerce des plages à la mode – se détachent de la falaise sur la grève blonde et s'émiettent, comme les grains d'un chapelet, en blocs, en pitons, en aiguilles, baignés par l'océan tiède et vert. Contemplé le soir du *miradouro,* le paysage flamboie. Dans la lumière de l'incendie, suivez le sentier en corniche jusqu'au promontoire de João de Arens où s'engouffre la mer, grondante comme le tonnerre, dans les grottes creusées au pied de la paroi.

Mais on vous conseillera sûrement d'effectuer la promenade, à marée basse, en suivant la plage. Sur la rive gauche de l'Arade, face à l'ouvrage militaire de Ferragudo, la forteresse de Santa Catarina, restaurée sous Philippe II, gardait à l'époque musulmane l'entrée du port, débouché de Chelb.

Jusqu'à Faro, isolée du rivage par sa lagune feutrée, à la pointe de l'accolade, les rochers continuent de s'égrener, les falaises ferment les anses des ports minuscules. A la corne, l'Histoire raconte : ici, à Nossa Senhora da Rocha, par la voix d'une chapelle préromane élevée sur une ruine lusitanienne ; là, à Armação de Pera, par celle d'une citadelle à la Vauban sur l'emplacement d'une alcaçova. Les grottes, partout, forent la roche ; à la gruta do Pontal, les concrétions dantesques bouclent l'amphithéâtre troué de cavités où nichent les cormorans.

Albufeira continue de rayonner, depuis que les Phéniciens y ouvrirent un comptoir, sur cet univers que les Portugais ont, depuis peu, aménagé pour votre plaisir. Le village blanc, qui évoque les cités marocaines, s'étage au-dessus du port de pêche où les barques rouge et vert sont hissées sur la grève. Marché bourdonnant, balcons sur le site : il n'en fallait pas davantage pour en faire une ville de vacances, à quelques minutes de l'aéroport international.

Faro, le nom fascine, mais la ville déçoit. Plaque tournante de tout l'Algarve dont elle est, depuis la Reconquête (1249), la capitale administrative en même temps que le grand marché de la figue et du liège, elle fut souvent victime des tremblements de terre. Avant d'y entrer, arrêtez-vous à

Comme les grains d'un chapelet,
les rochers flamboyants de Praia da Rocha

Les plus belles mosaïques de Milreu
ont rejoint le musée de Faro

la sortie d'Almansil : un chemin, à gauche, escalade la butte des amandiers et des mimosas vers l'humble église blanche de São Lourenço. Une nef lumineuse, vivante, animée par une impressionnante série d'azulejos vous fera découvrir les épisodes de la vie de saint Laurent. Si le thème n'est guère original, son interprétation par Oliveira Bernardes, talentueux artiste du XVIIIᵉ siècle qui travailla à l'université d'Evora pour le compte des jésuites, comblera votre cœur.

Les séismes, à cette époque, provoquèrent à **Faro** et alentour des dégâts considérables. On mesure mal aujourd'hui les malheurs qui éprouvèrent les campagnes, mais les stigmates demeurent dans la cité que s'empressa de reconstruire l'actif et besogneux Pombal local, l'évêque lui-même, Francisco Gomês. C'est lui sans doute qui appela Bernardes à São Lourenço. Mais on ignore qui releva les ruines et répara les monuments de la capitale. Le port de plaisance, la Doca, alors port de commerce, s'entoure de quartiers anarchiques, sans charme. Pourtant, des rues étroites s'en échappent — réservées aux piétons et parfumées le soir par les grillades des restaurants qui en font leurs terrasses — vers l'ancienne judiaria. Lorsqu'en 1249 Afonso III se rendit maître de Faro, mettant ainsi irrémédiablement un terme au royaume more, il respecta le quartier juif. C'est ici qu'au XVᵉ siècle allait voir le jour la première imprimerie du Portugal : les feuilles diffusées en caractères hébraïques ne plurent guère à D. Manuel qui saisit l'occasion pour donner l'ordre de fermer l'atelier et bientôt, comme on sait, intimer au peuple d'Israël de quitter le pays. A la vérité, un autre motif dictait cet acte : l'injonction qui lui était faite par le roi de Castille, dont il tenait absolument à épouser la fille... La judiaria

enchevêtrait ses ruelles blanches hors le rempart. Une porte baroque a remplacé la poterne arabe par laquelle, du port, on pénétrait dans la ville close. Les églises gothiques y occupaient l'emplacement des mosquées lorsque survint le cataclysme de 1755. La cathédrale ne conserva que sa tour-clocher ; la nef fut reconstruite dans le style baroque. Mais Francisco Gomês ne réalisa pas un chef-d'œuvre comparable à celui que s'offrit le clergé de Lagos — à la même époque et dans des circonstances identiques — où la chapelle de Santo Antônio ruisselle de dorures sous le plafond peint en trompe l'œil. Derrière la cathédrale de Faro, le couvent da Assunção, fondé par la reine Leonor au XVIᵉ siècle, avait dû fermer ses portes au XIXᵉ. Restauré, il abrite depuis 1976 des collections d'azulejos mudéjar et, surtout, de merveilleuses mosaïques du IIIᵉ siècle.

Au pied de la serra, à quelques minutes du faubourg d'Alportel, les principaux monuments — thermes et basilique — de l'Ossonoba romaine ne furent découverts, par hasard, qu'à la fin du siècle dernier. **Milreu,** selon les archéologues qui se sont intéressés aux thermes, pourrait avoir été victime d'un tremblement de terre au IVᵉ siècle, abandonnée, puis oubliée... Les détails d'architecture les plus séduisants du site demeurent, avec les débris de colonnes, les riches mosaïques polychromes des piscines, dont plusieurs ont été placées, pour les soustraire aux pillards, au musée de Faro ; le domaine voisin d'Estoi était déjà en partie décoré de plusieurs d'entre elles, prélevées dans les maisons de la cité luso-romaine lors de leur découverte.

Sous le vocable de saint Antoine, Lagos a succombé au délire du baroquisme. Faro en revanche s'est élevée jusqu'au

Comme tout le Portugal, l'Algarve succomb
à la fièvre baroque (chapelle Santo Antônio de Lago

clocher-minaret qui commande le site de la ville. Dans la lumière bleue du soir, lorsque vous atteindrez la plateforme de Santo Antônio, toute la lagune parlera. Un monde de poésie et de lutte, celle de la mer et de l'homme.

Lagune : la côte du *copejo* s'ouvre sous vos yeux. Le nom copejo traduit le combat, l'affrontement entre l'homme et l'animal : ici, le thon.

Sur toute la côte, jusqu'à Gibraltar où l'Atlantique évente la Méditerranée entre les colonnes d'Hercule, le poisson remonte chaque printemps pour frayer dans les estuaires tièdes. Les pêcheurs portugais l'attendent pour le harponner au *bicheiro*. Mais la loi interdit la pêche ; à cette époque de l'année, la chair fraîche et tendre du thon de *direito* (d'arrivée), très recherchée, se vend cher. Il faut savoir attendre son retour, vers juin-juillet. On tend alors d'énormes filets, les madragues, dans lesquels se prend l'animal. Liés par le poing gauche au bastingage, les pêcheurs harponnent le thon de la main droite et tentent de le faire bondir dans le bateau. Mais il refuse... Alors les plus courageux des marins sautent dans le filet et le combat s'engage, dans les giclées de sang, encouragé par les chants des équipages. Spectacle brutal que cette danse violente et périlleuse.

Tavira a tout préparé ; y compris votre désir d'assister à l'épreuve. Vous irez vous inscrire la veille, car le départ des bateaux a lieu dès que le jour se lève.

Tous les ports du littoral jusqu'au Guadiana disposent d'une flottille pour la pêche au thon. Car la prise est payante. Elle alimente les marchés que fait fonctionner la Bourse, créée au XVIIIᵉ siècle par Pombal, à laquelle sont rattachées les conserveries de Sotavento : Vila Real de Santo Antônio, la cité royale au plan en damier, voyait le jour.

En retrait du littoral lagunaire, la route d'Espagne traverse les vignobles, les vergers d'amandiers et de figuiers enclos de murets. Bientôt apparaît Olhão, la ville cubiste dont les architectures inspireront les urbanistes de l'après-guerre. Mais Olhão n'a d'arabe que l'apparence qu'elle se donne. Au XVIIᵉ siècle, les pêcheurs d'Aveiro, privés de leur gagne-pain, seraient venus s'établir sur ce rivage, y bâtissant les demeures basses aux façades revêtues de carreaux de faïence lessivés tous les jours, et couvertes de terrasses à l'orientale. Arabe en revanche serait demeurée Tavira sans le séisme qui provoqua l'écroulement de plusieurs édifices et barra l'entrée du port. Une passe fut alors creusée dans le cordon des sables pour le passage des gros thoniers, sagement rangés sur l'estuaire du fleuve dans la lumière du soir.

Vila Real, sur la frontière fluviale, observe l'espagnole Ayamonte, blanche comme une cité du Mzab. Les marais salants l'isolent de l'ancêtre, Castro Marim, aux deux châteaux rouges qui surveillent le passage de la route de Mértola. Site ancien, fortifié par les Luso-Romains qui avaient envisagé de jeter sur l'estuaire un pont dont le projet sommeille encore dans les cartons des deux États riverains.

Pêche brutale : harponné, le thon doit bondir dans la barque

La douce lumière
du soir caresse la ria de Tavira

8
Madère,
volcan dans les fleurs

Fleurie à foison...

Tourbillons. Dans la grande révolution des nuages et des pics, à mille kilomètres des côtes d'Algarve, l'île, tard découverte par les émissaires du Navigateur, était née du feu de la terre. Explosive encore, les vents y grondent dans les déchirures béantes des volcans, dans le marasme des basaltes et des porphyres, cherchant la faille, l'éternelle faute des éléments qui contrariera leur ronde gigantesque. La peur s'empara des premiers arrivants... Mais le royal infant possédait, par la trouvaille, un embryon de réponse à l'hallucinante question que se posait l'Europe renaissante. Christophe Colomb, soixante-

dix ans plus tard, ne devait-il pas, pour le compte des marchands de sucre, s'arrêter ici y débattre avec les marins-colons et, marié à la fille d'un des premiers gouverneurs, y étudier l'astronomie, prélude au programme de découvertes qu'il proposerait aux souverains avides et cupides ?

L'histoire de Madère ne conte qu'une épopée : la conquête, la colonisation du sol, la possession de la montagne. L'aventure du grand vaisseau perdu dans les nuées et les tempêtes, à trois semaines de nef du cap Saint-Vincent, entrait dans la légende. Y arrivèrent les pauvres hères des provinces les plus déshéritées de l'Europe méridionale, quelques soldats, des esclaves, plus tard des Noirs de Guinée. A de bien rares exceptions près, ce monde ne savait ni lire, ni écrire, ni comprendre. Et l'île, inhabitée, était inhabitable ! Une dense toison de bois – *a madeira* – couvrait ses reliefs jusqu'aux courtes grèves de galets, jusqu'à la corne des falaises noires de lave. On y mit le feu. Sept années durant un brasier gigantesque la recouvrit. Dans la tourmente des cyclones et – qui le sait ? – des éruptions, des séismes. A la porte du premier établissement historique (occupé par Zarco, moine-soldat de Tomar, chef des expéditions), Câmara de Lobos (la

chambre des loups de mer), une étroite et profonde vallée servit de refuge aux hommes affolés, la ribeira bien nommée des Socorridos (des rescapés), au pied des pics géants. Voilà planté le décor

Au pied du Pico Arieiro, la déchirure infernale

des premières années d'une épreuve qui
exigeait le courage, mais le décor aussi
du mystère des origines qui plane, pour
l'éternité peut-être, sur l'univers créé
par Dieu, qu'on fleurira à foison.

L'art de la nature ne pouvait qu'inspirer les habiles brodeuses

Le jardin s'éveilla. Dès que furent éteints les premiers foyers de l'incendie, on prit d'assaut les flancs escarpés des collines. Pas de plaine côtière à Madère, île-montagne dont les falaises composent de ruisselants rideaux sur les deux tiers du pourtour. Au **Cabo Girão,** l'un des plus hauts promontoires du monde, la paroi s'envole à six cents mètres d'un basalte violacé au-dessus des gouffres marins. Sous vos yeux, à moins d'une heure de barque, les fosses fréquentées par les monstres dépassent quatre mille mètres. Lors de votre séjour à Funchal, vous ne manquerez pas de participer à une journée de pêche au gros, par mille mètres de fond, et vous serez stupéfait de la taille des prises qui approchent, rarement il est vrai, la demi-tonne ! Car l'île toute petite (soixante kilomètres à peine d'est en ouest, et vingt du nord au sud) est celle des géants. Les colonnes des volcans surgissent à deux mille mètres aux portes de Funchal, et le couloir du Socorrido, dont la route de Curral das Freiras s'agrippe à la paroi à pic, plonge par huit cents mètres dans le roulis des nuées.

Il fallait bien vivre là. Débroussaillées les premières pentes, on commença donc à construire des terrasses, les *poios,* pour empêcher l'éboulement des minces couches de terre que les pluies d'orage s'empresseraient de lessiver ; dans le même temps, car il convenait tout de même d'irriguer le sol pendant les six mois de saison sèche, on creusa des rigoles, ancêtres des *levadas* qui sont devenues un des attraits offerts aux promeneurs de Madère. A dos d'homme, les pierres furent transportées depuis le pied des pentes, et les murets épousèrent la sinuosité des versants. Aux primeurs indispensables à la nourriture du jour on associa vite la canne à sucre pour répondre à la demande du Portugal, puis la vigne. Le bananier n'apparut que très tard, lorsque la ruine de l'île fut menacée par la maladie du vignoble. Avec la culture de la canne à sucre, la plantation vit le jour. En haut du domaine, la maison du maître ouvrit les loggias de ses balcons sous les toits de tuiles rouges parmi les arbres en fleur et les fougères arborescentes. Les premières quintas n'étaient assurément pas aussi luxueuses que celles qui, à partir du XVIIIe siècle, vinrent parer de leurs jardins exotiques, à cinq cents mètres au-dessus du port de Funchal, l'amphithéâtre de la capitale. Enrichis par le commerce du sucre, leurs propriétaires abandonnèrent progressivement la canne pour la vigne. A cette époque, le traité de Methuen conclu entre le Portugal et l'Angleterre attira chaque année plus nombreux dans la rade les navires britanniques qui, sur la route des Indes, y faisaient escale pour se réapprovisionner en charbon. La convention commerciale, qui favorisait le négoce des étoffes anglaises, privilégiait aussi le vignoble portugais. Celui de Madère offrait l'avantage de produire un nectar dont la qualité s'améliorait lors du transport. Balancé par le roulis des charbonniers, retour vers la mère patrie avec le précieux lest des barriques, le vin passait plusieurs semaines en mer ; pour faciliter sa conservation, on y ajoutait de l'eau-de-vie, l'*aguardente de cana,* produite aussi à Madère. Marins et militaires des guerres coloniales ne tardèrent pas à s'établir sur l'île, où ils firent souche.

Découvrant les villages, les femmes prirent goût aux travaux des brodeuses : c'est à une Anglaise qu'on doit le développement prodigieux des ouvrages en dentelle de Camacha.

Cabo Girão : au pied de l'un des plus hauts promontoires du monde, les lanières des champs cultivés affrontent l'Océan

Route du Nord, sous l'averse répétée des cascades

De Santana à Porto Moniz, la route court à flanc de falaise ; pour éviter les cascades on a creusé des tunnels. Là-haut, à plus de mille mètres, le plateau s'arrête net sur l'Océan, et les torrents ne s'en échappent qu'en panaches. Poussés par le vent du nord, les nuages s'accrochent aux parois verticales qui partout ruissellent. C'est dire que la chaussée est doublement dangereuse. Il n'est pas rare de pénétrer dans un tunnel en quittant un beau soleil et de trouver, à la sortie, le brouillard : allumez vos phares, roulez très doucement et méfiez-vous des autocars qui peuvent surgir devant vous. Croisement impossible. Manœuvres interminables pour trouver un mince et périlleux refuge. Dans ces conditions, n'espérez pas réaliser en une seule journée le tour complet de l'île. Les pavés d'ailleurs secouent tellement les véhicules qu'il est indispensable de faire halte

Au pied du miradouro, quelque village dans les vignes

Le vent a vite chassé l'ondée qui menaçait Funchal

de temps à autre. Quelques refuges, en bordure des routes, sont prévus pour cela. On le regrettera d'autant moins que la somptuosité des paysages coupe littéralement le souffle.

Au nord-est de Funchal, passé Santa Cruz, son église manuéline blanche et ses fleurs, contournée la piste trop courte de l'aérodrome, vous arrivez en vue du complexe touristique de Machico. On a pris bien garde de l'édifier à l'écart du site historique, cette anse où les bateaux de pêche dansent sur l'eau bleue au pied du rocher couronné d'un fort. Ici auraient échoué deux amants anglais au XIVe siècle. Mac Kean (Machim) aurait donné son nom au havre où fut creusée sa tombe, découverte cent ans plus tard : un fragment de la croix est toujours vénéré, au mois d'octobre de chaque année, dans la modeste chapelle du rustre faubourg des pêcheurs. Au nord de la petite ville, derrière le mont Facho, la désertique pointe de São Lourenço abrite l'un des rares ports de pêche au cachalot de Madère, Caniçal, et surtout, au pied de la saharienne presqu'île, la seule plage de sable, Prainha.

En amont de Machico, les sinuosités de la route suivent la vallée de Portela parmi les vignes où s'égaient les maisonnettes peintes en bleu clair, en vert tendre, en rose... Bientôt, les premières chaumines annoncent, en leur humilité, celles si jolies que vous découvrirez dans le Nord, autour de Santana : dans le jardin fleuri, les artisans-paysans tressent l'osier. Arrêtez-vous au miradouro de Portela pour découvrir l'impressionnant paysage de Porto da Cruz au pied de la Penha d'Agua, toute verte d'une dense forêt, vestige exceptionnel de la sylve primitive qui échappa à

l'incendie du XVe siècle. Il faudra déjà songer à rentrer à Funchal : par Santo da Serra puis Camacha, où dentellières et vanniers travaillent sur le pas des portes, vous parviendrez au sommet du cirque de la capitale, somptueux dans la lumière du soir.

C'est encore de la terrasse d'un des grands hôtels élevés dans la banlieue résidentielle, à l'ouest de **Funchal,** que vous baignerez vos yeux du paysage de la baie illuminée par le soleil couchant. La ville s'est épanouie dans un cirque. Les nuages noirs qui s'accrochent aux versants ne sont guère redoutables, un coup de vent du nord chassera vite l'ondée.

Rares sont les routes qui escaladent les flancs. Une seule, au demeurant, permet d'atteindre, par le col de Poiso entre les haies d'hortensias et les bois d'eucalyptus, les pauvres villages du Nord que la vigne a sauvés de l'abandon. Longtemps, cette route de Poiso fut la seule ; les bourgades et les ports du nord-ouest n'étaient reliés à la capitale que par la route annulaire. Au-delà de Ribeira Brava et des villages bananiers agrippés aux anciennes plantations de Calheta, elle court à plusieurs centaines de mètres au-dessus de la mer, à travers les nuages, dans un décor de bois et de prairies d'un vert si acide qu'on pourrait se croire en Irlande. A Ribeira Brava, pour se rendre à Porto Moniz, on remonte aujourd'hui le cours du torrent et on escalade, au pied des pics majestueux, la chaîne de montagne au col de l'Encumeada (mille mètres) d'où partent plusieurs sentiers de randonnée jalonnés de refuges. Au nord, l'Océan apparaît dans le creux du val profond comme un gouffre de São Vicente, seule entaille de la côte septentrionale.

Pavés de Madère, vous n'offrez pas que des désagréments! Sur le semis des bosses de basalte luisantes de pluie glissaient les traîneaux des marchands ambulants, des commis et des paysans allant vendre leurs produits à la ville – camionnettes et taxis les ont fait disparaître. Jadis les frottaient rudement aussi les patins des chars à bœufs, conçus pour le transport des personnes, semblables à ces *carros* attelés à des bovidés somnolents qui attendent, sur le quai de Funchal, le bon vouloir des belles danoises hélées par le conducteur goguenard, costume blanc ouvert sur la poitrine basanée et canotier sur l'oreille.

Au siècle dernier, les épouses des maîtres anglais n'apprécièrent tout à coup plus le transport en hamac, seul moyen

Un semis de bosses de basalte...

pour atteindre la quinta au sommet de **l'escalier des poios.** Les terrasses, bâties pierre à pierre à la sueur des peones, s'étagent à flanc de colline comme les gradins d'un théâtre ; pour parvenir aux plus élevées des demeures, celles des riches, on n'avait pas d'autre choix que ses jambes. Les dames s'y faisaient donc conduire en hamac, mais on y était beaucoup trop ballotté à leur goût. On décida alors d'ouvrir, ou d'élargir, les chemins pavés de galets sur lesquels circuleraient les traîneaux, vite remplacés par ces chars à patins pour rois fainéants, remorqués par des bœufs. Comme les fiacres de Lisbonne, ils comprenaient deux ou quatre places sous un dais de toile, et on les fermait sur les quatre côtés par des voiles de cotonnade pour protéger les voyageurs des insectes, de la pluie, ou des rayons du soleil.

Madère, depuis, s'amuse sur les pavés brillants. Dominant le port de Funchal, la petite église de N. S. do Monte fait l'objet, le 15 août de chaque année, d'un pèlerinage. On y grimpe en procession jusqu'à l'esplanade où une kermesse tapageuse attend les « pénitents ». Car la fête religieuse, comme au Portugal, ne peut avoir lieu que dans la joie. La terrasse ombragée comme le parvis de la chapelle sont aussi des miradouros. Sans doute, depuis que les arbres ont grandi dans les parcs alentour, le paysage est-il un peu dissimulé aux regards. Mais le déplacement n'en demeure pas moins une des attractions de la capitale ; parvenu là-haut en taxi ou en autobus, ou même à pied, on peut redescendre en toboggan. Jusqu'à l'époque de la dernière guerre, un chemin de fer à crémaillère grimpait, depuis la ribeira de São João, par la voie appelée toujours rua do Comboio (du train), jusqu'au belvédère. Au pied de l'église de Monte,

... où on s'amuse à descendre en toboggan

Tels les gradins d'un théâtre, l'escalier des poios

une piste sinueuse et pavée dévale en direction du centre de Funchal. A la porte des bars, les gaillards au canotier sur le nez vous proposeront d'entrer déguster quelques verres de madère avant de vous reconduire en ville sur le *carro de cesto* – le char en osier tressé par les vanniers de Camacha –, en courant derrière vous ; le véhicule est retenu par une corde que deux solides pilotes enroulent à leur ceinture. Descente rapide où on s'amuse à effrayer les filles émotives, et à faire chanter et rire celles qui auront su apprécier les copas de vinho.

Sur toute la côte sud, jusqu'à Paùl de Mar, les gradins irrigués par les levadas composent un paysage enchanteur avec leurs façades blanches ou bleues et leurs volets peints, gaies dans la verdure. Fleurs pimpantes, palmiers, fougères arborescentes parent les jardinets. Sur les terrasses, souvent pas plus larges qu'un sillon, on ne cultive pas que des haricots ou des tomates : la vigne, en espalier, y est reine. Sans doute ombre-t-elle les plantations de primeurs, mais pour que celles-ci puissent recevoir quelque lumière on effeuille les pampres. Ce qui faisait dire à un voyageur britannique d'autrefois que les vignes de Madère avaient plus de grappes que de feuilles. Spectacle féerique en automne, quand la colline éclate de tous ses pourpres et de tous ses ors. Saison des vendanges, qui se déroulent dès les premiers jours de septembre. Le transport du raisin, à dos d'homme bien entendu, s'effectue dans des outres que les « porteurs d'ivresse » (les *borracheiros*) vont déposer dans des cuves, au pied de la colline. Pas d'animal à Madère où seul peut circuler, dans les étroits passages et sur les chemins fragiles, l'ouvrier agricole. Depuis que la plantation de canne s'est

117

Sous la voûte de l'arc-en-ciel, la forêt du Nord et la Penha d'Aguia

effacée au profit de la bananeraie, les arbres ont envahi du bercement de leurs palmes, à l'ouest de Ribeira Brava, toutes les pentes accessibles jusqu'à quatre cents mètres au-dessus de la mer. On y descend, sur le cou, les lourds chargements de régimes verts jusqu'au rivage où viennent en prendre livraison les camions qui ont remplacé les bateaux. Le quai de la bourgade aux étroites ruelles conserve l'image de ces gravures qui nous faisaient nous apitoyer sur le sort réservé aux esclaves noirs de l'Afrique coloniale.

Même touriste, l'homme à pied est souverain à Madère, île des marcheurs et des randonneurs. Nombreux, les sentiers y conduisent à travers la montagne en suivant le cours des levadas – canal d'irrigation qui transporte jusqu'à la terrasse cultivée l'eau dont elle a besoin pendant les mois de grosse chaleur. Son réseau dépasse le millier de kilomètres ; la plus longue, achevée en 1950, la levada do Furado (du tunnel), entièrement suivie par un sentier, relie la région de Portela à celle de Santo da Serra, au centre de l'île. Son parcours de quatre-vingts kilomètres emprunte plusieurs tunnels : si vous avez décidé de vous y engager, munissez-vous d'une lampe de poche, de souliers à semelle antidérapante, de lainages et d'un anorak. Toujours bordés de fleurs – amarillis roses le plus souvent – ces chemins procurent beaucoup de joies à l'amateur de promenades.

Sans la levada, opiniâtrement construite, la culture serait impossible ; Madère peut traverser trois mois sans une goutte d'eau du ciel ! L'utilisation du canal est donc rigoureusement réglementée. Chacun doit prélever, pendant une durée limitée, la quantité d'eau prévue par son contrat et refermer, à l'heure dite, la vanne pour que le cultivateur suivant puisse se servir. Propriété de l'État, l'eau des levadas est taxée comme un impôt.

Un guide simple mais excellent, diffusé par les services du tourisme, vous initiera aux sentiers en vous précisant le type de difficulté des parcours. Ils conduisent, le plus souvent, à des belvédères proches de refuges. Certes, la route vous fera découvrir les plus réputés des miradouros – Cabo Girão (580 mètres) sur la côte sud ; Eirra do Serrato (1060 mètres) en surplomb de la ribeira dos Socorridos ; Pico Arieiro (1810 mètres) dans les nuées qui enveloppent le massif du Ruivo – mais c'est à pied qu'il vous faudra gagner les sommets. De la terrasse de **Balcões,** d'un accès simple, vous dominerez l'entaille d'une vallée qui s'évade vers le nord, sous les arcs-en-ciel, s'égare dans les bois touffus au pied de l'immense piton de Penha d'Aguia. Au loin, l'océan miroite au soleil tandis que le glacial coup de vent du nord déchire la voûte des nuages et bouscule l'ondée chaude.

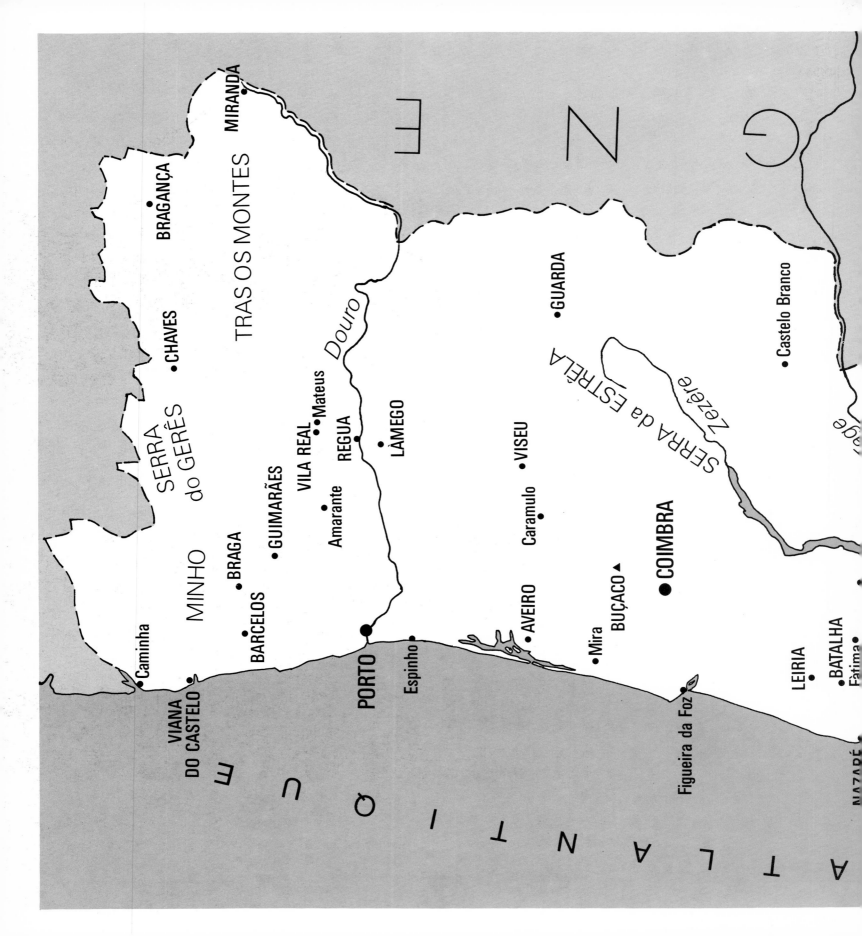

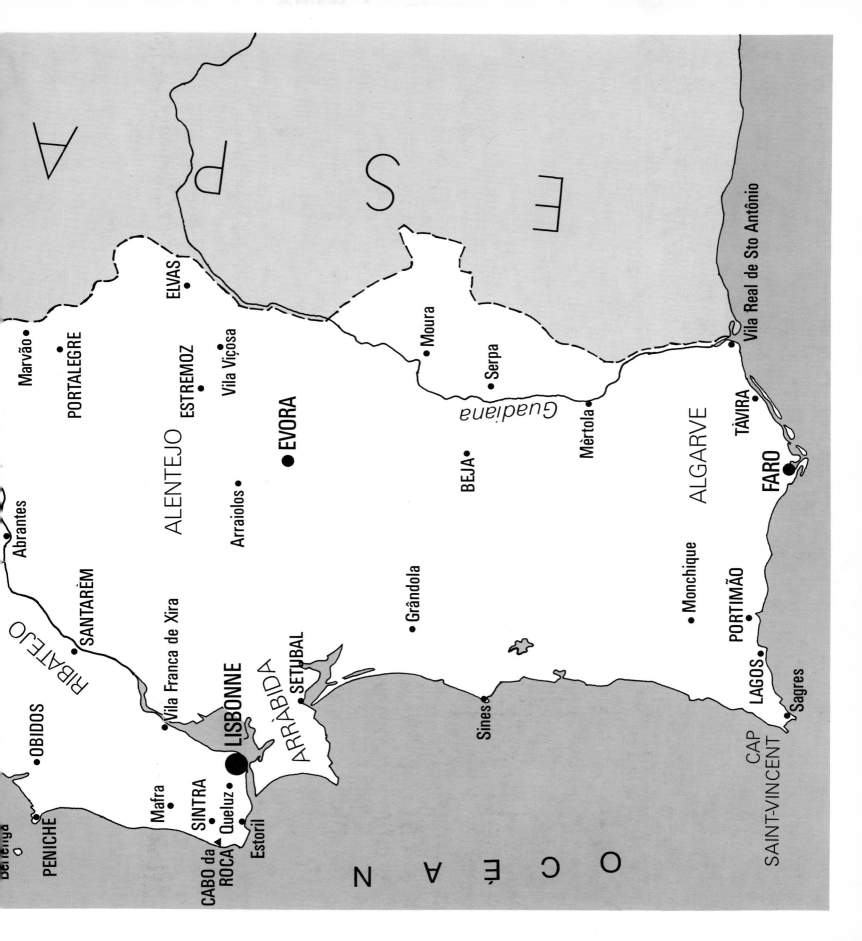

UN PEUPLE DE CONQUÉRANTS

Étrange figure que ce profil allongé, haut front, nez et menton aigus, nuque raide : si la nature a façonné le visage, le crâne et le grand cou demeurent l'œuvre de l'histoire. Car le long ruban de territoire relégué au bout de l'Europe est le résultat d'un seul et unique phénomène : la politique d'expansion poursuivie durant cinq siècles, après que le premier souverain d'un petit comté eut donné, vers 1130, le coup d'envoi ; d'un comté pauvre et minuscule allait naître un immense empire. Trois étapes signent son épopée, la reconquête sur l'Islam, la lutte contre l'hégémonie espagnole, la découverte puis l'exploitation de l'Outre-Mer.

Au VIIIᵉ siècle, les Arabes – du moins les hommes que l'histoire ainsi désigne – parviennent dans le Nord de la péninsule Ibérique. Région de montagnes, les Asturies et le Léon permettent l'organisation d'une résistance qui prendra bientôt le nom de Reconquête. Au frère des comtes de Bourgogne, Henri, échoit, en 1090, le comté « portucalense », pays de collines entre Minho et Douro ; son fils, Afonso Henriques, étendra la frontière méridionale jusqu'au-delà du Tage, et ses successeurs la pousseront jusqu'à la côte d'Algarve qui sera définitivement occupée en 1249. La carte actuelle des atlas nous révèle un pays dont les frontières n'ont pratiquement pas changé depuis cette date. Que représentait-il alors ?

De maigres témoignages

Les origines du peuplement de l'Ouest ibérique demeurent mal connues. Les mégalithes et les menhirs du Minho et de l'Alentejo, assez nombreux, laissent supposer l'établissement de marins, venus d'Irlande ou de Bretagne, mais plus sûrement de la Méditerranée. Les importants gisements néolithiques de la région de Lisbonne pourraient témoigner, selon certains archéologues, de l'occupation des parages par des rescapés de l'Atlantide : vastes, les monuments funéraires contenant des offrandes n'évoquent-ils pas – de très loin il est vrai – les temples de l'ancienne Égypte et du Mexique ? Vers le IIᵉ millénaire, ces civilisations ont dû s'éclipser progressivement devant des envahisseurs venus de l'Est, Celtes bien sûr, mais aussi Ibères. Du Iᵉʳ millénaire datent ces constructions qu'on nomme, dans le nord du pays, *citânias,* villages-forteresses-refuges communautaires dont les Luso-Romains se hâteront de démanteler le réseau.

L'arrivée des Méditerranéens

A partir de 1100 av. J.-C., les Phéniciens ont doublé le cap Sacré, qu'on nomme aujourd'hui Sagres, terme de l'Occident, et longé le rivage jusqu'aux rivières de Galice ; ils ont fondé des comptoirs sur la côte sud, puis s'établissent à Setubal sans doute, et de façon certaine à Lisbonne, Figueira da Foz, Porto... Les Carthaginois suivront leurs traces, les élimineront, mais les marins et les commerçants grecs, plus tard, ne s'aventureront guère au-delà de Lagos.

Les Romains ne parviennent dans l'ouest de la péninsule qu'au IIᵉ siècle av. J.-C. Au sud du Tage, ils ne rencontrent guère de résistance, établissent leurs villas sur les domaines que leur abandonnent les Celtes, occupent Felicitas Julia (Lisbonne), fondent trois centres administratifs importants : Scallabis Presidium (Santarém), Pax Julia (Beja), Liberalitas Julia (Evora). Mais le nord montagneux résiste : la « paix » ne sera effective qu'à l'époque d'Auguste chez ces paysans assez solidement organisés pour faire front. Derrière Viriato, les guérilleros déciment les légions de Scipion auxquelles ils tendent des embuscades dans la serra da Estrêla et autour de Viseu. Il faut aux nouveaux venus négocier à chaque instant avec les « rebelles », et profiter d'une trève, ou de la signature d'un pacte, pour faire assassiner leur chef (139 av. J.-C.).

La province de Lusitanie est alors créée. Sa capitale, Augusta Emerita (Mérida), est très éloignée de la mer et des montagnes où la résistance continue. Profitant de la confusion, Sertorius, lieutenant de Marius révolté contre Rome, tient Scylla en échec (80 à 72 av. J.-C.). Cinquante années de campagnes seront nécessaires pour que la pacification soit apparemment effective. Braccaria Augusta (Braga) instituée capitale de la Galecia, les routes militaires ouvertes, les castros détruits, des cités neuves fleurissent, comme Conimbriga, grâce au développement de l'économie (les pasteurs se font peu à peu agriculteurs), tandis qu'on s'efforce d'évangéliser à outrance ces gens qui refusent d'adopter la langue des vainqueurs.

Les « barbares » au secours de la Lusitanie

La situation était propice à l'invasion des hordes guerrières parvenues, vers 400, en Léon et en Galice. Alains d'abord, Suèves plus tard, empruntent les voies naturelles des fleuves et, par le Douro et le Mondego, atteignent l'océan. On en appelle aux Wisigoths : à partir de 414, leurs troupes, censées agir pour le compte de Rome, repoussent peu à peu vers le sud les Vandales qui iront trouver refuge en Vandalousie. Mais, repliés sur les côtes de Galice, les Suèves ne seront soumis que cent cinquante ans plus tard. Pour s'imposer, l'administration wisigothique s'appuie sur l'Église. Braga apparaît alors comme le foyer d'une sorte de Renaissance. A la fin du VIᵉ siècle, qui voit la conversion à la religion catholique du roi Recarède, la province brille de l'éclat que lui apporte, pour plusieurs décades, ce centre culturel de l'Occident. Mais les conflits internes n'en rongent pas moins le royaume des Goths, et c'est à la faveur de l'un d'eux qu'interviennent, en 711, les Arabes. Battu sur les rives du Guadalete, le roi de Tolède leur laisse le champ

libre : les califes vont s'établir à Cordoue alors que depuis 715 les armées berbères ont atteint les Pyrénées et les Asturies et que, déjà, la résistance s'y est organisée (718).

Une islamisation discrète

Les régions de l'Ouest allaient être beaucoup moins islamisées que le reste de la péninsule. La destruction systématique des monuments par les conquérants chrétiens ne suffit pas à expliquer la faiblesse des traces laissées par le séjour des musulmans au Portugal. Cependant, leur culture a imprégné le pays : le vocabulaire, par exemple, a conservé près de six cents mots arabes, surtout dans le domaine de l'agriculture, et la tradition populaire a maintenu des formes d'artisanat (tapisserie et poterie), des chants et des danses apparues dans le pays aux IXᵉ et Xᵉ siècles. Il ne faut jamais perdre de vue non plus que, contrairement aux chrétiens, les musulmans étaient des gens très tolérants dans cette Ibérie médiévale où ils s'entouraient de communautés juives, et où ils conservaient le respect des « studieuses méditations des moines ». Ainsi favorisèrent-ils une symbiose telle que l'histoire n'en connut guère d'autres. Pourtant, mais par réaction contre la chasse dont ils étaient devenus l'objet, saccagèrent-ils, à l'époque d'Al Mansor, les fondations religieuses de leurs vainqueurs ; mais leur influence spirituelle n'en continua pas moins de favoriser l'épanouissement d'une culture mozarabe, qui allait permettre à Coimbra de connaître le destin que l'on sait.

Reconquête

Dès le Vᵉ siècle, le nom de Portucale apparaît : il désigne un bourg de la rive droite du Douro, proche de l'estuaire. Bientôt il qualifiera l'ensemble des territoires compris entre ce fleuve et le Minho sur lequel s'arrête, en 959, la conquête léonaise. Érigé en comté (comitatus portucalensis), son gouvernement est confié en 1095 par Alfonso VI de Léon à Henri de Bourgogne, capétien qui vient d'épouser l'une de ses filles, Tareja. De l'union de l'Espagnole et du Français naît, en 1111, Afonso Henriques. Trois ans après, Henri meurt. La succession échoit à sa femme, que combattra dans quelques années l'adolescent, avant de s'en prendre aux Castillans. A cette époque, le royaume s'étend jusqu'au Mondego, puisque Coimbra a été reprise en 1064. A l'âge de seize ans, Afonso gouverne (1128). Il s'en prend aussitôt au royaume more, met en déroute ses armées à Ourique (1139) et se proclame roi sous le nom d'Afonso Iᵉʳ : le traité de Zamora, conclu la même année avec l'Espagne, le confirme sur son trône. Il inaugure le cycle de la dynastie de Bourgogne qui régnera sur le Portugal jusqu'en 1383 ; mais le pape ne le reconnaîtra qu'en 1179, longtemps après qu'il eut franchi le Tage... A la mort du souverain (1185), le royaume déjà s'étend sur une partie de l'Alentejo.

La Reconquête, cependant, s'est en grande partie appuyée sur la mer, fait que souligne la figure allongée du domaine : il a fallu en effet compter avec l'appui de la flotte des croisés pour reprendre Lisbonne et Santarém (1147). C'est grâce aux croisés encore que les Portugais

En route pour la croisade

tances, par le dictat du pape qui s'incline devant la volonté de Philippe le Bel : c'est bien D. Dinis en effet qui substitue à l'ordre des Templiers de Tomar la « milice » du Christ. On en connaît les conséquences : l'héritage considérable qui permettra de financer les entreprises d'Henri le

Henri le Navigateur

se rendront maîtres de l'Algarve. Mais les successeurs d'Afonso piétinent : les villes clés du Sud (Silves, Tavira et Faro) ne capituleront qu'en 1249.

Consolidation du pouvoir

A mesure que progresse la Reconquête, l'agitation féodale, née de l'opposition de puissantes familles au pouvoir royal, entrave l'œuvre d'unification des Bourguignons. Les ambitions castillanes ont donc beau jeu : la double bataille marque toute l'histoire du Moyen Age portugais.

A partir du XIIIe siècle, les souverains s'appuieront sur les ordres militaires, animateurs de la croisade en Occident : on leur confie des commanderies, dans les régions menacées par des retours offensifs, toujours possibles, des musulmans. Le long de la côte se développent les ports, car la voie de l'océan apparaît déjà la seule possible pour engager et affermir les échanges avec le reste de l'Europe. En 1255, Lisbonne devient la capitale d'un grand État maritime, où aboutissent les routes qui irriguent le pays. Efforts de consolidation du système qu'appuient le développement de l'agriculture, l'apparition d'une structure législative, la naissance de l'Université, la fondation de la bourse des marchands. Et s'ébauche un plan de conquête maritime que concrétise, en 1373, le premier traité d'alliance commerciale avec l'Angleterre.

C'est surtout avec D. Dinis, qui règne de 1279 à 1325, que se manifeste la politique d'indépendance nationale. Fondateur de l'Université de Lisbonne, instituteur du portugais – la langue du Nord – en tant que langue officielle, le « roi-paysan », auteur d'une réforme agraire qui préconise l'attribution des terres à ceux qui la travaillent, créateur de la bourse commerciale de Lisbonne (1393) et organisateur d'une véritable flotte laissera surtout à la postérité le souvenir de l'homme qui « nationalise » les ordres militaires. Sans doute y est-il contraint par les circons-

Navigateur. L'action de son règne ne s'arrête pas là : pour contenir les ambitions espagnoles, il entreprend la construction, sur la frontière, d'une véritable ligne de défense. Bragança, Marvão, Estremoz surgissent du rocher tandis que la passion des châteaux forts s'empare des seigneurs ; Abrantes, Almourol, Beja, Palmela sont édifiés en quelques années, et Leiria se fait palais royal. La cité acquiert ses libertés : sur les places des bourgs se dressent les piloris, symboles de l'autorité des cours de justice.

D. Dinis a épousé Isabel, la Reine sainte. Leur fils, Afonso, va se rebeller contre l'autorité paternelle. Roi sous le nom d'Afonso IV (1325-1357), il fait assassiner pour raisons politiques l'amante du dauphin Pedro, Inès de Castro (1355). Ce témoignage du malaise attise les convoitises espagnoles. Pierre fera certes reconnaître la légitimité de son union avec Inès, et la légende se chargera de narrer les épisodes de l'aventure passionnée. Mais Ferdinand Ier, successeur de Pierre, conduit une politique étrangère aussi maladroite que malheureuse (1369-1383). A sa mort, la crise éclate. Il n'avait pas de fils et sa fille a épousé le roi de Castille ! Tout le Portugal est en émoi : il va opposer au prétendant castillan João, maître de l'ordre d'Avis. Élu roi en 1385, il se porte avec une petite armée au-devant des trente mille hommes du souverain espagnol. Épisode essentiel de la guerre de Cent Ans, où se trouvent compromis la France dans un camp et l'Angleterre dans l'autre, la bataille d'Aljubarrota (15 août 1385), dans la plaine où on édifiera Batalha, donne l'avantage au Portugais. Pour deux cents ans, la dynastie d'Avis régnera sur le pays.

Le tombeau d'Inès de Castro à Alcobaça

Sur la voie de l'apogée

De l'union de João et de Felipa de Lancastre, six enfants sont nés, dont Isabel qui épousera Philippe de Bourgogne, et Henri l'actif organisateur de la conquête de Ceuta (1415). Avec lui débute l'expansion Outre-Mer. Deux années durant, Henri engage l'exploration de l'Afrique septentrionale, puis se retire à Sagres (1417). Il a vingt-cinq ans. Sa cour austère de savants devient un foyer de culture où naît une véritable école, créative de nouvelles méthodes de colonisation, inventrice d'un bateau révolutionnaire, la caravelle, conçu pour la navigation en haute mer. Méthodiquement, la côte africaine est explorée et conquise, tandis que très tôt Madère (1420) et les Açores (1432) tombent dans la corbeille du petit royaume.

En raison du renouveau de la puissance musulmane, le problème des relations entre l'Europe et l'Orient préoccupait l'infant portugais. Il fallait barrer la route aux Turcs et aux Arabes, et on n'avait guère d'autre choix que de les prendre à revers en contournant l'Afrique ; farouchement contrôlé par les Espagnols, le détroit de Gibraltar demeurait impraticable. De Lagos part une expédition conduite par Gil Eanes : en 1434 elle double le cap Bojador, limite alors connue de la côte marocaine. Dix ans plus tard on découvre les îles du cap Vert, puis on continue de longer le rivage d'Afrique pour atteindre, en 1475, le delta du Niger. Mais à cette date, l'infant est mort depuis quinze ans, sans connaître la conclusion de son ambitieux projet, et c'est Afonso V qui poursuit son œuvre, tout en s'intéressant à l'Atlantique Nord : ses marins ont sans doute touché le Vinland (l'estuaire du Saint-Laurent) déjà reconnu (mais abandonné) depuis plusieurs siècles par les navigateurs islandais, et certainement aussi par les Basques.

João II, le « prince parfait » (1481-1495), assassin du duc de Bragance et de nombreux nobles ralliés à la cause contre la couronne, donne une impulsion nouvelle aux découvertes en organisant, avec les indigènes, le négoce de l'or sur les côtes de Guinée, tandis que Diego Cão explore le Congo et que Bartolomeu Dias touche le cap des Tempêtes (1488) qu'on nommera plus tard de Bonne-Espérance. Car il faudra engager une nouvelle expédition pour le contourner et remonter jusqu'au Mozambique : dès lors, la route maritime des Indes double celle du « prêtre Jean ».

Les souverains espagnols, de leur côté, ont fini par accepter les propositions de Christophe Colomb qui découvre, en 1492, la « route de l'Ouest » pour gagner les Indes. Mais à cette date, les Portugais ont sans doute déjà reconnu la côte brésilienne. Le traité de Tordesillas départage les rivaux (1494) : toutes les terres situées à l'ouest d'un méridien passant à 370 lieues à l'ouest du cap Vert sera possession espagnole. La reconnaissance « officielle » du Brésil, par Cabral, sera donc effective en 1500 seulement... A Lisbonne, l'or afflue : plus de huit cents tonnes y sont débarquées chaque année ; mais aussi les esclaves — jusqu'au milieu du XVIe siècle, la capitale portugaise recevra vingt mille Noirs. Camões lui-même reviendra de Goa avec un esclave : « Les esclaves de Goa, écrit J. van der Elst, coûtaient un peu plus qu'un mouton et un peu moins qu'une vache ; qui rentrait au pays sans esclave était le dernier des miséreux. »

Le Portugal manuélin

En 1498, Vasco de Gama arrive à Calicut. De retour à Belém l'année suivante, il rapporte une quantité d'épices telle que son voyage est remboursé soixante fois ! Aussitôt le conflit s'engage avec Venise et l'Égypte, détenteurs alors du monopole du commerce des épices. L'empire se constitue en quelques années. Là où il est menacé, on édifie une forteresse à côté du comptoir. Ainsi de Goa, ouvert en 1510, qui va devenir capitale de l'empire des Indes, et du diamant. Turcs, Arabes, Vénitiens engagent la guerre navale : leur flotte est démantelée à Diu par le premier vice-roi, Almeida (1509) ; son successeur,

La tour de Belém

Albuquerque, s'empare d'Ormuz, sur le golfe Persique, puis de Malacca. Les Moluques sont atteintes en 1512, la Chine en 1514. Peu après, Magellan, parti de Séville, est assassiné aux Philippines.

Car l'Espagne poursuit parallèlement son chemin vers l'apogée. Elle puise à pleines mains dans les trésors qu'elle a découverts au Pérou et au Mexique ; elle devient la plus riche puissance d'Europe, et Séville supplante bientôt Anvers. Si le Portugal, doté de la flotte la plus développée et du port le plus vaste du vieux continent lui tient aisément tête, le déclin s'amorce néanmoins pour lui avec le règne de João III, qui succède en 1521 à D. Manuel. La conquête se solde par une véritable ruine pour le royaume, en vies humaines autant qu'en navires : quarante bateaux portugais disparaissent dans les tempêtes en une trentaine d'années. Sà da Miranda dénonce les odyssées lamentables : « L'odeur de cette cannelle nous dépeuple le royaume. » Mais João III n'entend pas la voix. Ses marins

arrivent en 1542 au Japon, pays des perles, et obtiennent des Chinois la cession de Macau, capitale de la soie (1557). En 1552, Camões s'est enrôlé sur un bateau, achetant ainsi comme beaucoup d'autres sa sortie de prison ; il ne rentrera à Lisbonne que dix-huit ans plus tard. On colonise aussi le Brésil ; la mise en valeur des terres dépasse hélas les moyens de la nation...

En expulsant les juifs, en instituant l'Inquisition (1540), João III paralyse l'essor scientifique tout en mettant un terme à la liberté d'expression. Le produit de l'exploitation des colonies ne sert qu'à combler les déficits du budget et à financer la ruineuse guerre du Maroc qui s'achèvera dans le désastre d'Alcacer-Kebir (1579). La porte est ouverte à Philippe II d'Espagne qui puisera, à son tour, dans le trésor portugais pour financer ses guerres.

Cependant, l'expansion coloniale a donné au Portugal une haute conscience de ses énergies, interprétée par la magnifique épopée que sont *les Lusiades*. L'afflux des richesses et l'appétit des découvertes ont inspiré des réalisations artistiques originales, pleines de lyrisme, où les symboles de l'aventure maritime animent les monuments de la monarchie, de la noblesse, de l'Église.

Camões

Alors que la catastrophe menace, le jeune roi Sebastião rêve. Il rêve dans son palais de Sintra où miroitent les azulejos sévillans de D. Manuel, en écoutant la voix de Camões venu lui faire la lecture des *Lusiades* : « O peuple le plus téméraire de tous les peuples, tu as franchi les bornes jusqu'alors inaccessibles aux mortels... » Sebastião a quinze ans. Une seule idée habite son esprit, ressusciter l'ère des grandes découvertes. Au

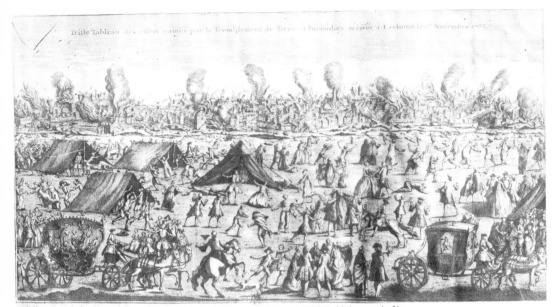
Après le tremblement de terre (1755), Lisbonne brûle

Maroc, il marchera sur les pas de l'infant Henri. Pour cet adolescent mystique, c'est une terre d'infidèles qu'il faut arracher aux Mores. Contre l'avis du conseil du royaume il enrôle quinze mille hommes, et vide ainsi les caisses du trésor. Par une chaleur accablante, en plein mois de juillet, on marche sur Fès. La bataille, le 4 août 1579, s'engage dans la confusion. On ne retrouvera jamais le corps de Sebastião. Cinquante hommes reviendront sur une nef en Algarve...

Philippe II n'allait avoir aucune peine à réaliser, en deux ans, l'unité de la Péninsule.

Les trois Philippe (1580-1640)

Le premier acte d'autorité de Philippe II consiste en la fermeture du port de Lisbonne aux navires hollandais qui venaient s'y approvisionner en épices afin de les distribuer en Europe. Dès lors, les Hollandais décident d'aller chercher directement aux Indes les fameuses épices. Depuis la déroute de l'«Invincible Armada» (1588), dont l'entreprise avait été imaginée par le nouveau souverain fort de la flotte lisbonnaise, les Portugais ne peuvent plus protéger leur empire colonial. C'est donc sans inquiétude que les Pays-Bas occupent les comptoirs de l'Inde, les Moluques, enlèvent Ceylan, fondent la Compagnie des Indes orientales, avant de s'intéresser de près aux côtes de Guinée et même au Brésil. Avec Philippe III puis Philippe IV, le pays devient une simple province espagnole. Mais la Biscaye (déjà !) et la Catalogne bougent. Richelieu intervient en Roussillon. Les nobles portugais, qu'il encourage, organisent une conjuration qui aboutit, le 1er décembre 1640, à la «restauration» de la monarchie nationale : João, duc de Bragance, est proclamé roi. Sa dynastie restera maîtresse du Portugal jusqu'en 1910.

Le Siècle des lumières

Il faut attendre le règne de Pierre II (1683-1706) pour que le pays, qui a recouvré non sans peine son rôle de puissance européenne, retrouve la prospérité. Mais il a dû acheter pour ce faire l'appui de l'Angleterre, en lui cédant Bombay (1661) et en concluant avec elle le traité de Methuen (1703). Fort de sa position, Pierre II s'engage dans la guerre de succession d'Espagne : en 1706, l'armée anglo-portugaise entre à Madrid.

Dans le même temps, la fortune du Brésil fait un bond prodigieux : on vient d'y découvrir des mines d'or et de diamant. Les revenus triplent en quelques années d'existence de João V (1707-1750) qui s'offrira le luxe de couvrir de pierres précieuses les couvents de ses maîtresses. Il se lance dans des entreprises qui tiennent du délire ; Mafra, São Roque à Lisbonne, les monuments baroques du Nord en imposent au monde. Sous cette splendeur superficielle sévit la misère que dissimule, aux yeux de l'observateur étranger, l'apparition d'un mouvement de renaissance politique et culturel : c'est l'époque du « despotisme éclairé ». José Ier (1750-1777) épouse les idées du XVIIIe siècle français, interprétées par Carvalho e Melo, futur marquis de Pombal, à qui on confiera les rênes du pouvoir lorsqu'il aura relevé Lisbonne des ruines provoquées par l'épouvantable tremblement de terre de 1755.

Les qualités de l'homme d'État, dont la férocité tyrannique et la dureté dans la mise en application des méthodes allaient entraîner la déchéance, ouvrent une période originale de l'histoire portugaise. Pombal secoue la tutelle anglaise, repousse les menaces espagnoles, restaure l'université de Coimbre après avoir chassé les jésuites et supplicié les Tàvoras (1759) ; car la conquête de l'indépendance économique caractérisée par le dirigisme ne saurait s'opérer sans un ordre dictatorial, accompagné de persécutions. Mais quand Maria Ire (1777-1816) devient reine, on découvre que les caisses sont vides et que huit navires pourris représentent la flotte. L'illusion de la fortune n'était entretenue que par la manne de l'empire ; on y puisera longtemps encore, du moins dans ce qu'il en reste. A Queluz, la Cour peut

donc rêvasser en entourant la folie de la souveraine, et les idées généreuses de la Révolution française gagner le cœur de João, son fils, à qui on a confié la régence. De son côté, le gouvernement demeure soumis aux intérêts anglais : en 1793, le Portugal s'associe à l'Espagne dans la première coalition organisée contre la France en marche. Mais, en 1801, l'Espagne change de camp, s'en prend au Portugal, qui doit lui céder Olivença...

Misère de l'époque romantique

João éprouve beaucoup de peine à rester neutre entre Napoléon et l'Angleterre ; l'application du blocus continental le guidera dans son choix. Au traité de Fontainebleau (1807), la France et l'Espagne se partagent le Portugal. Le 18 octobre, Junot quitte Bayonne avec trente mille hommes après avoir reçu mission d'expulser les Bragance. Fin novembre, il approche de Lisbonne. La famille royale et la noblesse se résignent à embarquer, malgré la tempête, pour le Brésil. Elle ignorait l'état lamentable des troupes de l'armée conquérante : douze cents hommes, pas plus, se traînent dans les rues de la capitale derrière les tambours avant d'aller loger dans les couvents désertés tandis que le général s'établit à Queluz. Vite décimée par la guérilla, la Grande Armée doit signer, au bout de quelques semaines, la convention de Sintra, avant de rentrer en France... sur des bateaux anglais ! Napoléon revient à la charge : en 1808 Soult occupe Porto, mais il doit se replier l'année suivante. Masséna reprend le flambeau : son armée, coupée en pièces à Buçaco, marche quand même sur Lisbonne, mais piétine durant des mois dans les lignes de défense de Tôrres Vedras. Wellington, le grand vainqueur, tire parti de la situation déplorable dans laquelle les guerres ont laissé le pays.

En 1820, un mouvement révolutionnaire se déclare à Porto, gagne Lisbonne. On congédie les Anglais. Rentré du Brésil (1821), João Ier jure de respecter la constitution libérale qu'on a préparée (1822). Mais, la même année, la nation brésilienne se déclare indépendante, nomme empereur Pierre IV. C'est un coup très dur pour la bourgeoisie portugaise. C'est aussi le coup d'envoi d'une succession de guerres civiles, de soulèvements populaires, de séditions militaires qui ravageront le Portugal jusqu'en... 1974.

A la faveur de l'accalmie qui marque le règne de Pedro V (1855-1861), une période de prospérité factice signe la fin de ce siècle ombreux, animée par un violoncelliste (Luis Ier, 1861-1869) et par un peintre doublé d'un savant (D. Carlos 1885-1908). Factice, car des difficultés se dessinent en Afrique, alors que la monarchie s'avère incapable d'éponger la dette publique. L'opposition républicaine se fait menaçante, contraignant D. Carlos à dissoudre le Parlement, pour confier le pouvoir à un dictateur au nom prédestiné, Franco. Premier acte : on emprisonne les chefs du mouvement républicain. Riposte immédiate des carbonari : le roi est assassiné à son retour de Vila Viçosa, le 1er octobre 1908. Manuel II accède au pouvoir à dix-neuf ans. Il n'est pas en mesure de faire face et s'enfuit ; en une nuit la République est proclamée (1910).

Piétinements et coup d'État

Le nouveau régime s'avère impuissant à rétablir l'ordre et à restaurer l'économie. Les soulèvements se multiplient. Au comble de la dégradation, le Portugal s'engage (1916) dans la Grande Guerre aux côtés des Alliés.

A Braga, le 28 mai 1926, l'armée se soulève au nom de la nation et instaure une dictature militaire tout en conservant l'appellation de République ; au premier président, Gomes da Costa, va succéder le général Carmona qui conservera sa fonction jusqu'à sa mort, en 1951. En 1928 il confie la direction du pouvoir et le ministère des Finances à un professeur d'économie politique de l'université de Coimbra, Oliveira Salazar. Sa réussite est spectaculaire. Cet homme parfaitement intègre et austère va occuper plusieurs sièges au gouvernement avant d'être nommé, en 1932, président du Conseil, titre qui sera le sien jusqu'en 1968. En 1933, il fait voter une constitution qui établit l'Ordre Nouveau, basé sur une conception organique de la société et de l'État corporatiste ; elle sera révisée et amendée à plusieurs reprises. L'État fort s'appuie sur une police politique. Son apparente solidité s'exprime par des réalisations spectaculaires, en particulier dans le domaine des travaux publics. L'illusion est entretenue, aux yeux de l'étranger, par la robustesse de l'escudo dont Salazar fait la monnaie la plus stable du monde. Mais la monnaie la plus solide entretient le niveau de vie le plus bas d'Europe. En dépit des contraintes, 20 p. 100 de la population active doit émigrer. Mais on va encourager cette émigration qui permet d'alimenter le trésor. On puisera aussi à pleines mains dans la richesse de l'Outre-Mer, qu'on va bientôt devoir entretenir à n'importe quel prix, y compris celui du sang ; car à partir de 1960 les mouvements nationalistes se dessinent en Afrique noire, et leurs chefs engagent les premières actions militaires. En réponse, le contingent y sera systématiquement envoyé pour quatre ans, et «pour la paix». C'est une guerre onéreuse et impitoyable : en Guinée, Spinola utilise le napalm.

Le pays est plongé dans un véritable sous-développement quand, le 5 septembre 1968, Salazar tombe de sa chaise. Un économiste éminent, doublé d'un juriste, lui succède, Marcelo Caetano. Avec lui, le Portugal va perdre une grande partie de sa jeunesse dans la guerre qui n'en finit pas.

Les Œillets rouges

Depuis 1966 surtout – année de l'étrange disparition d'Humberto Delgado, qui venait d'être candidat à la présidence de la République contre Salazar – des mouvements de rébellion agitent l'armée. En mars 74, un régiment de cavalerie marche sur Lisbonne. Caetano ne savait pas qu'il s'agissait d'une « répétition générale ». De fait, le 24 avril, un coup d'État, animé par Spinola entouré de jeunes capitaines, balaie le pouvoir sans une goutte de sang. Lisbonne explose de joie. Pendant plusieurs jours, les camions du M.F.A. sillonnent la ville, parcourent le pays : à la baïonnette des fusils, un œillet rouge. Longtemps, les Portugais conserveront en mémoire la magnifique journée du 1er mai... Il était beau alors le rêve. Car très vite les projets politiques s'affrontent.

Le général Spinola, élu président de la jeune République, doit céder la place, en septembre, au général Costa Gomes, soutenu par l'avant-garde du M.F.A. La «période populiste» de la Révolution commence. Un an jour pour jour après le coup d'État, les élections générales donnent 38 p. 100 des voix aux socialistes : c'est l'échec de la gauche militaire soutenue par le P.C. Tandis que la loi agraire est promulguée le 25 juillet (les expropriations ne toucheront jamais plus de quatre cents familles, au demeurant beaucoup plus affectées par les futures nationalisations des banques et des compagnies d'assurances), la confusion règne à l'automne lors du départ du Premier ministre Gonçalves. En avril 1976, les élections législatives donnent un peu plus du tiers des voix aux socialistes, et le général Eanes est élu président de la République en juin : il confie le pouvoir à Mario Soares, qui hérite d'une situation économique catastrophique. Malgré un redressement lent, entravé par les conflits entre les formations gouvernementales, la situation demeure peu reluisante en 1979. La fragilité du système l'expose au danger d'une reprise en main autoritaire qui aboutirait à l'effondrement du beau rêve.

SITES ORIGINAUX ET MUSÉES MÉCONNUS

Aire (serra do Aire, région de Fàtima). La région des collines calcaires est forée de cavités souterraines aux concrétions parfois merveilleuses, dont la découverte, dans la plupart des cas, fut postérieure aux apparitions de 1917. L'aménagement en est tout récent (depuis 1970) et la visite possible jusque très tard dans la soirée (20 h ou 21 h). Prenez au sud de Batalha, à Porto do Mós, la route d'Abrantes par Mira : les plus belles grottes sont celles d'Alvados, aux parois dorées se mirant dans de petits lacs ; des Moinhos Velhos (les vieux moulins) dans le village même de Mira do Aire ; de Santo Antônio, aux jolies concrétions roses d'une forêt de stalagmites.

Alpiarça (rive gauche du Tage, à 10 km en amont de Santarèm). Une importante collection d'objets d'art – notamment une quarantaine de tapis d'Arraiolos – a été rassemblée dans l'ancienne demeure d'un mécène, la casa dos Patudos, transformée en musée : tapisseries, azulejos hispano-mauresques, bibliothèque riche de 4 000 volumes

et surtout toiles de Rubens, Zurbaràn, Murillo, Delacroix, Memling, David Téniers, ainsi que plusieurs Malhôa.

Apúlia (sur le littoral du Minho, tout près de Barcelos). La plage immense est le grand centre de production du varech (sargaço) du nord du Portugal : les sargaceiras – car la cueillette est avant tout un travail de femmes – ramassent avec d'immenses râteaux les algues apportées par les vagues. En plus de leur utilisation comme engrais, les sargasses sont traitées pour la fabrication de fibres de nylon, vendues aux pêcheurs.

Atouguia da Baleia (à 5 km de Peniche). Les alluvions des fleuves côtiers, les sables apportés par la mer ont comblé l'ancien port où les croisés avaient débarqué au XIIe siècle et où des colons bretons, séduits dit-on par le charme des lieux qui leur rappelaient leur patrie, devaient faire souche. Bel ensemble monumental et fête régionale colorée au début de novembre.

Aveiro. Ne quittez pas la ville sans avoir vu les charmants azulejos du parc municipal, l'un des plus beaux domaines publics que comptent les villes portugaises.

Benfica (banlieue nord de Lisbonne). Autour de la capitale, les vice-rois des Indes édifièrent de somptueuses résidences, les quintas, dont certaines sont ouvertes à la visite : c'est le cas des jardins du marquis da Fronteira (XVIIe s.) à Benfica ; de plusieurs domaines de la commune voisine de **Carnide** ; de ceux assez nombreux de **Belas** (à 16 km de Lisbonne sur la route de Mafra), dont la quinta du marquis de Belas où vécurent, à partir du XVIe siècle, plusieurs princes de sang royal ; des jardins des ducs de Palmela à **Lumiar** (autre cité de la banlieue de Lisbonne), proche d'**Odivelas** dont le couvent fut le théâtre des aventures galantes de João V et de Madre Paula.

Braga. A la sortie nord-ouest de la ville, dans le poétique domaine de l'ancien couvent de São Francisco, l'église São Frutuoso date de l'époque wisigothique : c'est un monument unique au Portugal. L'influence de l'Orient byzantin apparaît évidente, malgré les mutilations, dans cet édifice qu'on imagine venir en droite ligne du Péloponnèse.

Briteiros (routes de Braga à Guimarães par la montagne). La citânia (forteresse-refuge) fut occupée de l'âge du fer à une date très avancée de l'occupation romaine : la triple enceinte clôturait un entassement de 150 huttes. A une dizaine de kilomètres au sud, la castro de **Sabroso** date du néolithique : les maisons circulaires, dans l'enceinte cyclopéenne qui rappelle celle de Mycènes, furent habitées jusqu'à l'âge du fer.

Caminha (sur l'estuaire du Minho). Le plafond artesonado de la collégiale-forteresse, bâtie en retrait et en contrebas du rempart, évoque ceux des églises de Madère. La décoration originale de la façade romane comporte d'étranges représentations de sirènes masculins.

Capuchos (serra de Sintra). Dans un site d'une sauvage grandeur, les cellules des solitaires, retirés en ce couvent au XVIe siècle, sont taillées dans le roc : pour s'isoler de l'humidité, les moines

Les lavandières à Barcelos

riquе » : entièrement gravé par les hommes du néolithique, il comporte 350 figures représentant des individus, des haches, des échelles...

Espichel (cap Espichel, pointe occidentale de la presqu'île d'Arràbida). Site prodigieux où l'on se rend au mois d'octobre en pèlerinage depuis huit siècles : la chapelle baroque ferme la place oblongue bordée de deux rangées de maisons sur arcades qui recevaient, en ce bout du monde, les vénérateurs de la Vierge du Cabo, patronne des pêcheurs. N'oubliez pas le point de vue, à la corne du promontoire.

Fafe (à 15 km à l'est de Guimarães). Tous les ans, en juillet, s'y déroule une curieuse procession au cours de laquelle on promène une Vierge de plus d'une tonne.

Gerês. De la station thermale en montagne grimpe un chemin vers la Portela do Homem (frontière espagnole) : on y verra de nombreuses bornes milliaires romaines qui jalonnaient la route militaire d'Astorga à Braga.

Ilhavo (au sud d'Aveiro). L'important musée de la Mer évoque la conquête de l'Océan par les terre-neuvas, mais aussi celle de la ria sur toutes sortes de bateaux dont vous verrez les maquettes. Les chapeaux anciens des femmes, les râteaux des moliceiros sont, eux, authentiques.

Lavandeira (au-dessus des gorges du Douro, rive droite, en amont de Pinhão et de Tùa). Un ensemble monumental prodigieux pare la modeste bourgade : enceinte médiévale, deux églises romanes, tombes creusées dans les rochers, peintures rupestres.

Leiria (à 70 km au sud de Coimbra, sur la route de Lisbonne). Dans la ville basse que couronne la butte coiffée par le château-palais de D. Dinis à la grande loggia Renaissance, le petit musée, où sont exposés des vêtements anciens, fut créé dans la métropole d'une région au riche passé folklorique dont témoignent, chaque année en mai, les spectacles donnés lors de la feira (foire).

Lindoso (dans la serra de Gerês, sur la frontière espagnole). Au pied du castelo qui surveillait le passage, c'est un véritable village d'espigueiros (greniers aux allures de tombeaux), parmi les dalles de granit où l'on continue de battre le blé au fléau, qui signe le paysage de ce bourg en plein cœur du parc national.

Lisbonne. Dans le domaine des arts décoratifs, et en particulier celui de l'azulejo, on ne regrettera pas une visite à l'hôpital São José (qui domine le largo Martim Moniz, derrière le Rossio) ni au palais des Sports (à l'est du parc Édouard VII). Près du miradouro de Santa Luzia, le musée des Arts décoratifs intéressera les amateurs de mobilier indo-portugais, mais l'excellente exposition de la vie quotidienne dans la ville à l'époque du tremblement de terre est encore plus passionnante. A l'ouest de Lisbonne, sur le versant de la colline qui domine Belêm, la décoration des salles du palais d'Ajuda illustre très bien l'art décoratif portugais du XIXe siècle. En descendant vers les Jéronimos, arrêtez-vous au jardin botanique d'Ajuda, créé à l'époque de Pombal.

Mangualde (sur la route de Guarda à Viseu, à 18 km de cette ville). Meubles et objets d'art parent les salles du palais des comtes de Anadia

en avaient recouvert les parois de plaques de liège fixées par de gros clous. Du sommet de l'amas des blocs de grès, superbe panorama.

Caramulo. Quand vous aurez achevé la visite du musée des Beaux-Arts, ne manquez pas d'entrer dans celui, tout proche, de l'Automobile : 50 voitures anciennes et une importante collection de cycles et de motos impeccables sont tous en parfait état de marche. Pour preuve : il y a toujours des absents.

Castro Laboreiro (sur la frontière espagnole, au terme d'une route de montagne dominant la haute vallée du Minho). Sur les versants herbus on n'élève que des moutons : les bergers, qui portent encore la mantela de bure et chaussent d'é-normes sabots, vivent dans des huttes couvertes de genêts en fleur.

Chaves. A quelques kilomètres au nord-est de l'ancienne cité forte romaine, le rocher d'Outeiro Machado fait figure de « sanctuaire préhisto-

Jour de fête dans le Minho

Monção (sur le Minho). Deu-la-Deu, maîtresse femme du bourg, conduisit victorieusement la lutte de la population contre le Castillan au XVIIᵉ siècle. Elle eut droit à une statue. Son tombeau fut logé dans l'église. On a restauré sa maison... et baptisé de son nom le vin qui accompagne le festin de lamproie. Lors de la Fête-Dieu, c'est cependant Santa Coca, la tarasque locale, qu'on honore. Saint Georges marche à sa rencontre : évidemment, l'esprit du bien est toujours vainqueur du monstre. Fin août, la fête de la Vierge-des-Douleurs donne lieu à d'autres réjouissances, copieusement arrosées comme toujours et partout dans le Minho, de vinho verde.

Monchique (Algarve). Dans la ville haute, au portail manuélin de l'église se nouent les colonnes torses en cinq points, dessinant une sorte de couronne d'épines.

Monsaraz (haut Alentejo, à l'est d'Évora, près de la frontière espagnole). Village blanc demeuré pratiquement intact depuis le XVIIᵉ siècle.

Monserrate (serra de Sintra). Le domaine d'un diplomate britannique – fondé par un vice-roi des Indes – se pare d'une végétation tropicale autour d'une bâtisse rococo : les fleurs, les arbres brésiliens, japonais, africains y composent un « jardin extraordinaire » où vous descendrez par le Vale de Fetos, ravin peuplé d'un bois de fougères arborescentes hautes comme des palmiers.

Obidos. Ne repartez pas sans avoir vu les revêtements d'azulejos de Santa Maria (dans la partie basse de la ville murée) ni sans être entré au musée voisin, ouvert dans l'ancien palais municipal : sculptures de la Renaissance, peintures mièvres de Josefa la Sévillane, souvenirs des guerres napoléoniennes.

Ovar (au nord de la ria d'Aveiro). Le Musée ethnographique, consacré à la vie des pêcheurs-paysans, comporte une section d'art africain intéressant les anciennes colonies portugaises.

Portalegre. Les travaux de tapisserie exécutés à la main par les soyers de la manufacture (on visite les ateliers et les salles d'exposition) interprètent des cartons dus à de grands artistes contemporains.

Porto. N'omettez surtout pas d'entrer dans la gare de São Bento pour observer les azulejos qui décorent la salle des Pas Perdus. Dans la vieille ville, le Musée ethnographique est le plus original et le plus complet de ceux de la province portugaise : collections d'instruments de musique et de jougs sculptés, mais aussi étage entièrement consacré aux fêtes, aux romarias du Minho et aux amours populaires. Dans les quartiers nord, l'église Cedofeita constitue le monument chrétien le plus ancien de la Péninsule : elle aurait été construite par le roi suève Théodomir en 556.

Porto Moniz (Madère), village pittoresque étagé en terrasses au-dessus des piscines naturelles marines, continue de pêcher le cachalot : du poste de vigie, comme aux Açores, on scrute l'horizon et, l'animal aperçu, les embarcations effilées se précipitent à sa poursuite. Chasse dangereuse, qu'on ne pratiquera bientôt plus...

Rates et **Rio Mau** (au nord-est de Póvoa de Varzim, Minho). Riches chapiteaux romans de deux

(XVIIᵉ siècle), demeure patricienne rose dans un parc d'où on découvre toute la serra da Estrêla.

Marinha Grande (dans la pinède au nord de Nazaré). La forêt exploitée dès le Moyen Age pour la résine et les essences dérivées a fait naître la petite cité industrielle où apparurent, au XVIIIᵉ siècle, des verreries : le traitement du sable et les œuvres produites dans la région sont présentés dans la salle d'exposition de la fabrique Stephens.

Mértola (route de Beja à Castro Marim, Algarve). Dominant le Guadiana, au pied des ruines du castelo, l'église blanche à pinacles conserve de nombreux éléments architecturaux de l'ancienne mosquée : exemple de conservation pratiquement unique au Portugal.

Miróbriga (à l'entrée de São Tiago de Cacém, sur la route de Setubal à Sagres). Les ruines de la cité romaine s'étagent sur le versant d'un vallon abrupt : de la terrasse occupée par les restes du forum et du temple, une longue rue dallée descend vers la basilique et les thermes, dont la restauration est entreprise.

humbles églises de campagne comme on en voit beaucoup dans le Nord.

Regua. Les azulejos très suggestifs de la Casa do Douro content la vie des vendanges.

Salvaterra de Magos (basse vallée du Tage, rive gauche). Comme dans tous les villages proches de la mer de Paille, les fêtes taurines animent l'après-midi des dimanches entre Pâques et septembre.

Santarém (à 80 km au nord-est de Lisbonne, sur le Tage). La marée remonte le fleuve jusqu'au-delà du site rocheux, capitale historique régionale, foyer agricole et tauromachique toujours actif et centre culturel paré de plus de dix églises remarquables. Deux miradouros (celui de Portas do Sol à l'extrémité de la ville et celui de São Bento de l'autre côté du ravin) permettent d'observer la vallée du Tage que franchit un pont de plus d'un kilomètre de long.

São Bento da Porta Aberta (Minho). La plus célèbre romaria du Nord s'y déroule à la mi-août.

Seteais (à 2 km à l'ouest de Sintra par la route de la serra). La convention de capitulation de Junot fut signée dans ce palais du XVIIIᵉ siècle aux appartements décorés par Pillement, aménagé aujourd'hui en hôtel de luxe. Du jardin, contemplez la silhouette de Pena ; des terrasses au-dessus des parterres à la française, l'ample paysage du rivage de l'Extremadura.

Soajo (Minho, parc national de Gerês). La route de Monção à Braga traverse Arcos de Valdevez d'où part une route de montagne vers ce village perché aux beaux espigueiros (voir Lindoso) : l'Outeiro Maior (1 415 m) domine au nord le site. Sur les flancs de la montagne, les rochers, accessibles aux seuls bons marcheurs, sont gravés de signes datés du néolithique.

Tarouquela (vallée du Douro, rive gauche, en aval de Làmego). Décoration romane remarquable du portail de l'église.

Tomar. Dans la ville basse, entrez dans la synagogue, exceptionnellement conservée et unique au Portugal. La nef est vide : dans les parois latérales, les niches gardent le souvenir des cruches qu'on y déposait... Aux portes de la ville, les ruines de Nabantia ont peut-être dicté aux Arabes le choix de leur établissement dans la vallée. Un peu plus loin, vers Ourém, l'aqueduc de Pegões Altos, long de 5 kilomètres, fut réalisé par Terzi pour le compte de Philippe II d'Espagne.

Trancoso (Tras os Montes, route de Guarda à Làmego). L'enceinte cyclopéenne parfaitement conservée fut le témoin, en 1282, du mariage de D. Dinis et d'Isabel d'Aragon. Montez sur le chemin de ronde tracé dans les herbes folles pour vous laisser fasciner par la vastitude de la Beira.

Travanca (au sud de la route d'Amarante à Porto). L'ornementation des sculptures, où domine la représentation d'animaux fantastiques, fait de ce modeste édifice un chef-d'œuvre de la plastique romane.

Vila da Feira (à 10 km au sud d'Espinho, à proximité de la côte entre Porto et Aveiro). Restauré, le château des contes de fées impressionne par la longueur de ses corridors, le danger de ses vertigineux chemins de ronde et le dessin de ses meurtrières en forme de croix chrétiennes.

Vista Alegre (au sud d'Aveiro). Le musée des Porcelaines occupe l'ancienne fabrique dont les productions ont assis la renommée, au XVIIIᵉ siècle, de l'artisanat d'art portugais.

LES POUSADAS

Un certain nombre d'établissements hôteliers ont été ouverts au Portugal – comme en Espagne les paradors – dans des sites exceptionnels ou des monuments historiques. On les nomme ici *pousadas* lorsqu'ils dépendent de l'administration gouvernementale ou *estalagens* s'il s'agit d'entreprises privées. Tout voyageur au Portugal aura à cœur de les fréquenter. Mais ils sont très recherchés et comportent peu de chambres : on doit y retenir son séjour de nombreux mois à l'avance (ou la veille, par téléphone, si on peut avoir la chance de bénéficier d'une défection). On ne peut y passer plus de cinq jours consécutifs. Les prix pratiqués sont ceux des hôtels ★★ et ★★★. Un point noir : la table n'y est qu'exceptionnellement de qualité.

Le Minho. La pousada de Valença do Minho ouvre ses fenêtres sur la vallée du fleuve et sur les collines de Galice. A Ofir, l'estalagem do Parque do Rio, moderne, offre le calme de sa pinède maritime. L'hôtel Santa Luzia, à Viana do Castelo, n'est pas une pousada ; la vue y est admirable sur l'estuaire du Lima, l'océan et sa plage et le site de la ville. En montagne, la pousada de São Bento, proche du barrage de Caniçada, occupe un site dominant de la vallée du Càvado.

Tras os Montes. La pousada de Bragança fait face à la colline fortifiée que vous contemplerez au coucher du soleil et, le matin, à son lever dans l'axe du donjon. A Miranda do Douro, la pousada domine la vallée du fleuve encaissée dans le granite et le lac de retenue du grand barrage. Dans la serra do Marão, celle de São Gonçalo (à 25 km à l'est d'Amarante) commande l'ample paysage de la forêt de pins qui dévale vers le Tâmega. Au-dessus de Manteigas, en pleine serra da Estrêla, une pousada vient d'ouvrir ses portes à proximité des Penhas Douradas. En amont de Coimbra (80 km), à Oliveira do Hospital, vous découvrirez, de la pousada de Sta Bàrbara, tout le profil d'Estrêla. Au sud de Tomar enfin, celle de Castelo do Bode domine le décor du lac de barrage du Zezêre.

Région d'Aveiro. Sur la rive occidentale de la lagune, près de São Jacinto, les balcons et la terrasse du restaurant ouvrent sur l'immense miroir laiteux où se traînent, avec une lenteur fascinante, les moliceiros. A 20 km d'Aveiro, en bordure de la N.1 (Porto-Coimbra), la pousada d'Albergaria propose un autre enchantement : celui de la verte vallée du Vouga et des bois de la serra de Caramulo. Sur la route de Viseu, l'estalagem de Luso, établie dans une ancienne demeure paysanne de la station thermale, au pied de la forêt de Buçaco, vous séduira par sa décoration. Mais l'hôtel-palace de Buçaco, en plein parc national, est d'un autre style : Valery Larbaud fréquenta la demeure de luxe aménagée dans le goût manuélin, en vogue à la Belle Époque.

Sur la route de Lisbonne. A Obidos, la pousada occupe le castelo médiéval restauré tout exprès, mais ne compte que six chambres ; allez y déjeuner dans la salle des gardes, pour le charme du cadre et pour le paysage. Aux portes de Sintra, le palais de Seteais, transformé en hôtellerie de luxe (voir «Sites originaux»), n'est pas une pousada, non plus que la Cozinha Velha de Queluz où vous aurez peut-être la chance de dîner dans les anciennes cuisines du palais royal.

Arràbida. Au pied du bois crépu de la serra et face à la mer, l'estalagem de Santa Maria, à Portinho, ouvre ses loggias sur le silence de l'infini. Dans l'enceinte du castelo de São Filipe qui commande tout le site de Setubal, la pousada occupe le logis du commandant d'armes : vous vous promènerez au clair de lune sur les bastions et vous admirerez le lever du jour sur l'estuaire du Sado.

Alentejo. Sur la route de Setubal à l'Espagne, la pousada d'Estremoz acccueille ses visiteurs dans l'ancien château de D. Dinis, ce donjon au sommet de la ville haute. A Elvas, celle de Santa Luzia est aménagée dans l'un des forts du XVIIᵉ siècle qui ceinturent la cité militaire. Au nord, c'est au pied des remparts à la Vauban de Marvão que vous ouvrirez la fenêtre de votre chambre à 800 mètres au-dessus de l'étroit défilé. La pousada dos Loios, à Évora, le plus bel hôtel du Portugal, occupe l'ancien couvent, restauré, construit par D. Manuel. L'estalagem de Monsaraz (voir «Sites originaux»), dans le vieux village, vous propose le charme des paysages de la campagne alentejane. Et, près de Serpa, la pousada de São Gens, au-dessus des oliveraies, le décor de la blanche chapelle de Guadaloupe.

Vers l'Algarve. En pleine serra et en plein désert, la pousada de Santa Clara occupe un site perché au-dessus de l'immense lac de barrage. Petite, celle de São Tiago de Cacèm observe le bourg sur une colline couronnée par une imposante forteresse. La pousada do Infante, à Sagres, est conçue pour les rêveurs : des falaises creusées de «furnas» du cap Saint-Vincent, vous vous interrogerez devant le coucher dramatique du soleil.

INDEX

Les photographies sont de Robert Thuillier

à l'exception de :
Boudot-Lamotte, 123 bas
Giraudon, 124 droite
Hachette, 125
B. Hennequin, 29 bas, 42, 45, 49, 51, 52, 61, 69, 106, 118
Photothèque Hachette, 123 centre
Roger-Viollet, 123 gauche
G. Viollon, 5, 55

TABLE DES MATIÈRES

Cet ouvrage a été élaboré
dans le cadre des éditions Hachette Réalités
Maquette de Jean-Louis Germain

Achevé d'imprimer
le 18 avril 1979
sur les presses de l'imprimerie Mame
à Tours

ISBN n° 2-01-005750-3
Dépôt légal n° 8543 - 2ᵉ trimestre 1979
Éditeur n° 26.92.0365.01

26.0365.2
79-V